天才小故事愛因斯坦

愛因斯坦出生於德國。他在兩三歲時才會説話，父母曾為此擔心不已。

到了他五歲時，父親送了一個指南針給他，而母親也安排他學習小提琴，兩者都對愛因斯坦日後造成深遠影響。

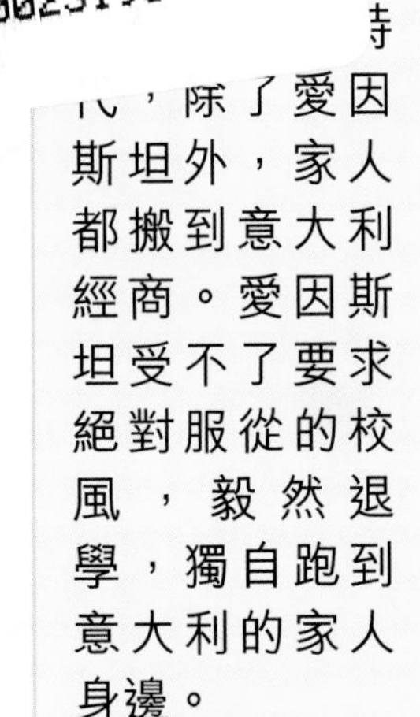

[illegible]時代，除了愛因斯坦外，家人都搬到意大利經商。愛因斯坦受不了要求絕對服從的校風，毅然退學，獨自跑到意大利的家人身邊。

上到大學，他經常與朋友一起研讀最新的物理學著作及論文。最後因蹺課太多，他僅以合格的成績畢業，無法順利找到學院工作，僅靠當家庭教師糊口。

他經朋友介紹到專利局任職審查員，在工餘時間研究物理學及撰寫論文。在1905年，他發表了4篇關於「光」和「分子」的論文及1篇短文，其中著名的「相對論」更為多個科學領域帶來翻天覆地的影響。

關於愛因斯坦的詳細故事，可參閱《兒童的科學》第185及186期〈誰改變了世界？〉專欄。

他終於得到博士學位及大學的教學工作，之後輾轉在歐洲不同大學授課。第一次世界大戰後到了美國，從此未再踏足歐洲。

究竟為何愛因斯坦
會如此聰明呢？

這也是科學家一直
想知道的事情。

智力測驗的發展

科學家設計過眾多方法來測試人類的智力，希望能找到「天才」。

1869

來自遺傳

提出進化論的達爾文，其表弟法蘭西斯．高爾頓指傑出人士當中，大約百分之十有親戚關係，所以相信遺傳是影響智力的主要因素。

1884

人體測量實驗室

高爾頓設計了十多款器材，在一個展覽中測試參觀者的身體能力，如視力、聽力、反應速度等，希望能藉此找出聰明的人。這算是世上第一個「智力測驗」吧。

1905

不同年齡會做的事

法國心理學家比奈根據對兩位年幼女兒的觀察，製作了第一個現代智力測驗，以甚麼年齡能理解特定行為或問題，來判斷兒童的智力。

1909

由歐洲引進美國

美國教師戈達德對一所鄉郊弱能學校的學生進行比奈的測驗，並結合學校老師的評價，制定兒童心智的發展標準。

1917

圖形測驗的誕生

第一次世界大戰前，美國已經有很多不懂英語的移民，為了對他們進行測試，心理學家耶克斯設計了只有圖片的測驗。

傳統智力測驗的缺點

測試內容單一

智能測驗的內容集中在語文及數理方面，無法得知受試者其他方面的能力，很多「天才」就此被埋沒了。

文化背景影響結果

智能測驗的題目設計的本意是希望測驗不會受文化及教育影響，但一直未能做到，所以往往對不同文化的人不公平。

優生學造成歧視

在培育天才的同時，亦有人把犯罪者與「智力不足」的人拉上關係，甚至主張剝奪他們生兒育女的權利。

之後美國心理學家霍華德．加德納在1983年提出了「多元智能」的概念。

多元智能

多元智能依照不同的解決問題技能而建立，如能配合不同智能的方式學習，就能事半功倍。

音樂智能

音樂智能強的人擅長分辨節奏、旋律、音調和音色，他們也善於以歌聲或樂器重現和創作音樂。

語言智能

語言智能強的人擅長閱讀和書寫，比同年紀的兒童懂得更多詞彙，也善於演講、寫作和學習不同語言等。

身體動覺智能

身體動覺智能強的人擅長控制肢體動作，在舞蹈、運動等身體活動方面有較佳的表現，也喜歡從活動中學習。

邏輯數學智能

邏輯數學智能強的人擅長數字和推理，善於尋找事物的規律和排序，也能用數學表達抽象的事物。

空間智能

空間智能強的人擅長辨識位置與空間，也善於閱讀地圖和辨識方向，在畫畫、建築設計等有出色表現。

人際智能

人際智能強的人擅長觀察別人的情緒和理解對方的意向，他們通常較喜歡團體活動。

內省智能

內省智能強的人擅長剖析自己的想法和感受，自我認知能力強，也善於控制內在的情緒。

自然智能

自然智能強的人擁有細微的觀察力，擅長分辨不同事物之間的區別，如不同品種的動植物。在現代社會中，辨別車子、球鞋的品牌等都屬此智能。

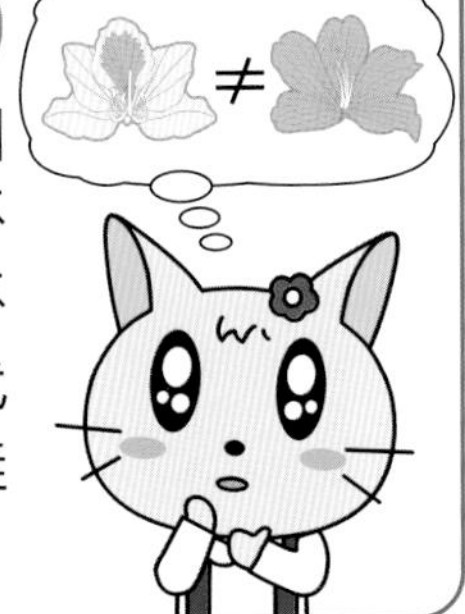

多元智能的特點

擁有全部智能

每個人都擁有全部智能，只有強（擅長）和弱（不擅長）的分別。

智能組合

很多技能都不止運用一種智能，如跳舞就需運用到身體動覺、音樂、空間和人際智能。

天才小故事 莫扎特 音樂家

莫扎特的父親是作曲家，他的姊姊也自幼展現出演奏大鍵琴的天賦。

莫扎特在3歲時已展現出其音樂才華，此後更學習了大鍵琴、小提琴等不同樂器及作曲。他年僅6歲就編寫了數首樂曲，8歲已創作了一首交響曲。

在父親安排下，莫扎特與姊姊在歐洲各地巡迴演出，包括德國慕尼黑、奧地利維也納、捷克布拉格、法國巴黎等地。

他返回故鄉薩爾斯堡後，成為了宮廷音樂家。但他一直對工作環境感到不滿，之後更辭去職務前往外地。雖然莫扎特在外國也享負盛名，卻一直未能找到理想的工作。

他按羅馬帝國皇帝要求創作的歌劇大獲好評，讓他在樂師外，還得到作曲家的名聲。

莫扎特病逝時年僅35歲。其一生創作了非常多作品，在沒有工作的期間，他亦從未間斷，繼續創作新樂曲。

天賦與教育

科學家經常爭論，究竟先天的才能較重要？還是後天的教育重要呢？其實要發揮才能，兩者都不可或缺。

基因

正如法蘭西斯．高爾頓的遺傳理論，有些科學家相信有「聰明」基因，擁有這種基因的家族會人才輩出。

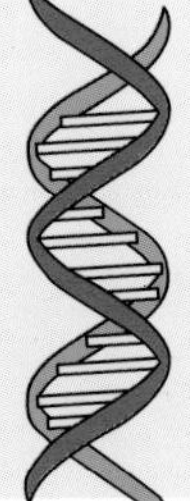

另一些科學家則認為基因的影響非常少，主要是家人有相關知識，較容易察覺孩子的才華，再給予栽培。

貧富

相比貧窮的家庭，富裕家庭的孩子能嘗試更多不同的事物。發現才能後也會投放更多資源去培育孩子。

有些國家的小孩貧窮得連學習的機會也沒有，他們縱使有才能，也沒有辦法得到發展。

社會期望

社會對男和女有不同的印象，如男生的數理較好、女生語文能力較強等，令擁有相反才能的孩子不敢表現自我。

小孩要專注讀書、某種職業能賺錢、某種能力比其他重要等，社會的期望與要求也限制了孩子發展才能。

高智商 ≠ 聰明

根據研究顯示，近數十年人類的智商（IQ）不斷提高，有科學家歸因於科技發展，我們需要處理的資訊比以前多很多。

可是要處理的資訊太多，會令人們的專注力下降。

而且分配給個別資訊的時間少，只挑自己有興趣的內容，也容易造成以偏概全、人云亦云的情況。

天才小故事 畢加索 畫家

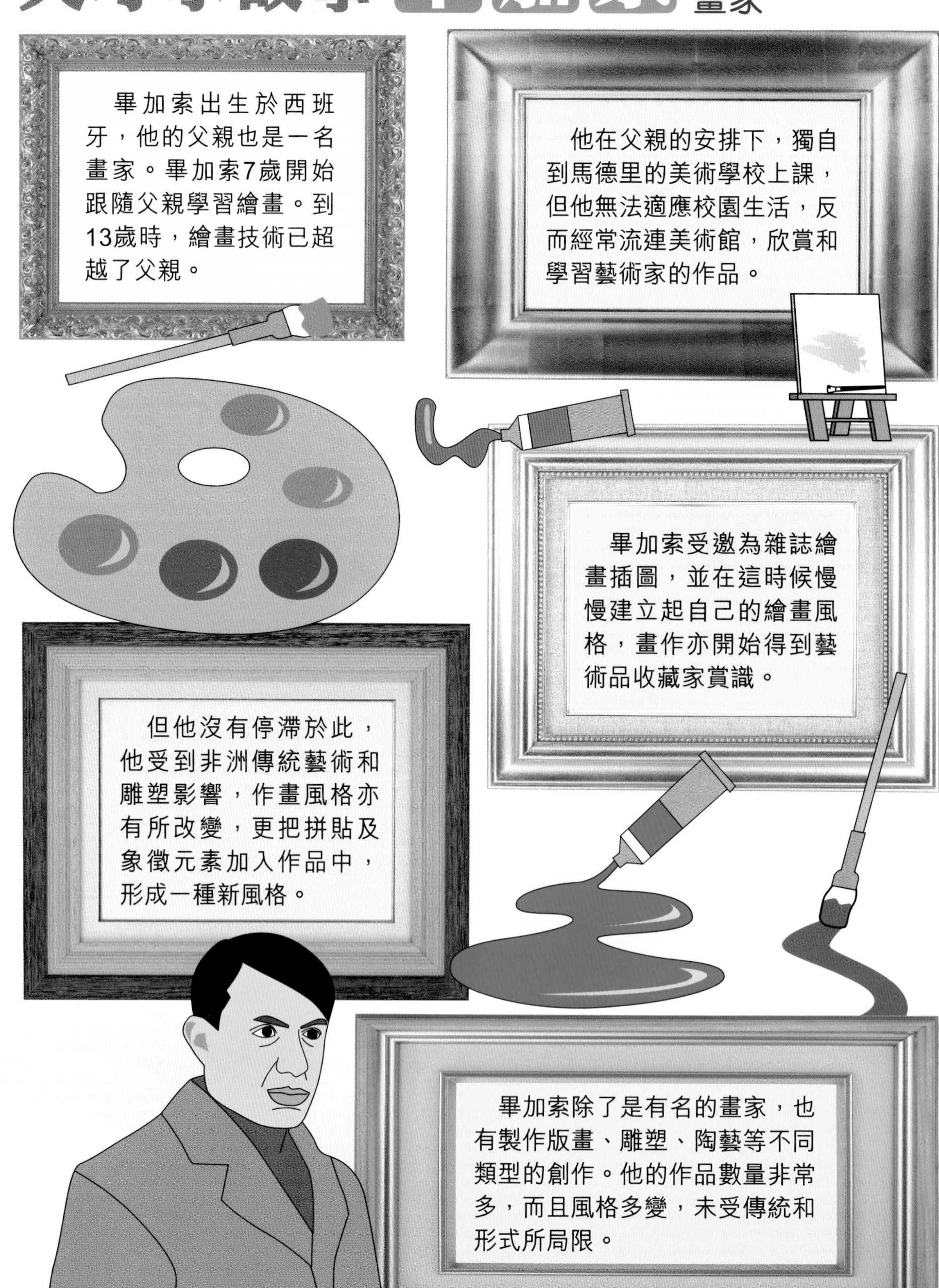

畢加索出生於西班牙，他的父親也是一名畫家。畢加索7歲開始跟隨父親學習繪畫。到13歲時，繪畫技術已超越了父親。

他在父親的安排下，獨自到馬德里的美術學校上課，但他無法適應校園生活，反而經常流連美術館，欣賞和學習藝術家的作品。

畢加索受邀為雜誌繪畫插圖，並在這時候慢慢建立起自己的繪畫風格，畫作亦開始得到藝術品收藏家賞識。

但他沒有停滯於此，他受到非洲傳統藝術和雕塑影響，作畫風格亦有所改變，更把拼貼及象徵元素加入作品中，形成一種新風格。

畢加索除了是有名的畫家，也有製作版畫、雕塑、陶藝等不同類型的創作。他的作品數量非常多，而且風格多變，未受傳統和形式所局限。

想知道更多！

大部分天才都對有興趣的事物非常着迷，希望能得到更多相關的知識。

學習

他們理解的速度很快，然後會想知道更多，所以會主動尋找相關資訊，吸收並學習他人的作品。

發問

在學習過程中，他們能深入思考，發現問題或不明白的地方，會主動發問，尋求答案。

討論

當有新想法時，他們會跟別人討論，從而引發出新構想，再去驗證想法的對錯。

知識是創造的基礎

學習不止在學校

可善用圖書館、互聯網上各色各樣不同的資料，對甚麼事物有興趣或疑問時，不妨主動尋找答案吧！

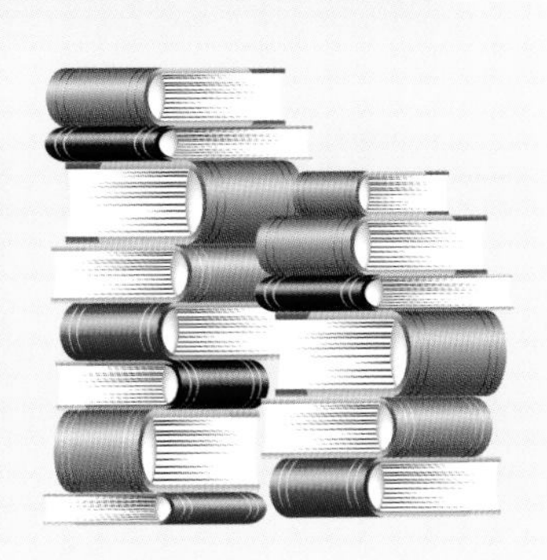

接納不同意見

就算是相同的事物，也能從不同的角度思考，討論時遇上不同意見，也不需急於證明自己的正確，可請別人推薦相關資料，不恥下問，或許能激發出更多想法啊！

實踐與創造

天才最令人驚訝的，是他們的創造力。愛因斯坦的「相對論」、莫扎特的樂曲、畢加索的畫等，都讓人嘆為觀止，嘖嘖稱奇。

抱有好奇心

他們會深入探究身邊的事物，對一切充滿疑問及好奇，然後積極尋求答案，成為他們行動的動力。

懷疑與求證

他們不會滿足於資料內容，尤其是遇到不明白的地方，更會反復驗證，從而創造出新想法。

積極行動

很多時候，我們腦中都會出現一些轉瞬即逝的奇思妙想，天才會緊緊抓住這些想法，並嘗試付諸實行。

不怕失敗

發明家愛迪生曾經說過：「當我認為值得爭取，我就會去爭取，並一直嘗試下去，直至成功為止。」在天才成功的背後，其實也失敗了千百次啊！

要記錄下來

記錄有兩個目的，一是把想到的東西先寫下，再慢慢鑽研。另一個目的是從嘗試的過程中學習，糾正錯誤，最後才能成功。

天才小故事 卡爾·高斯 數學家

高斯出身於貧窮的平凡家庭。他3歲時，看着父親埋頭計算給工人的工錢，突然就指出父親計算錯誤，父親重新計算後發現高斯是正確的。這是他首次展現其數學天賦。

他上到小學時，老師要求同學計算1至100相加，即「1+2+3+……100」的總和，同學們還在努力計算時，他就給出了答案。

他與物理學家韋伯合作研究電磁學，更發明了第一台電報機。同時，他亦接受了土地測量的工作，他實地測量了大量土地數據，再通過計算確定了二千多個座標。

高斯因其出眾的數學才能得到普魯士元帥賞識，資助其生活及學習，順利進入大學就讀。畢業後，他僅憑小行星穀神星的觀測資料，就計算出行星路徑，奠定他在天文學上的成就。

高斯一生的成就眾多，但他只會發表完整及經過驗證的理論。在他死後，人們發現其未發表的研究結果和理論，若及時公佈，可能可以將數學發展推前50年。這些貢獻為他帶來了「數學王子」的美譽。

潛能的發掘和培育

每個人都有擅長和不擅長的事，如果好好發展一技之長，必定能為未來的生活增添不少樂趣。

多參與嘗試

有機會就要嘗試，才能知道對甚麼有興趣、對甚麼擅長，然後再把心力投進擅長的事物上，自然事半功倍。

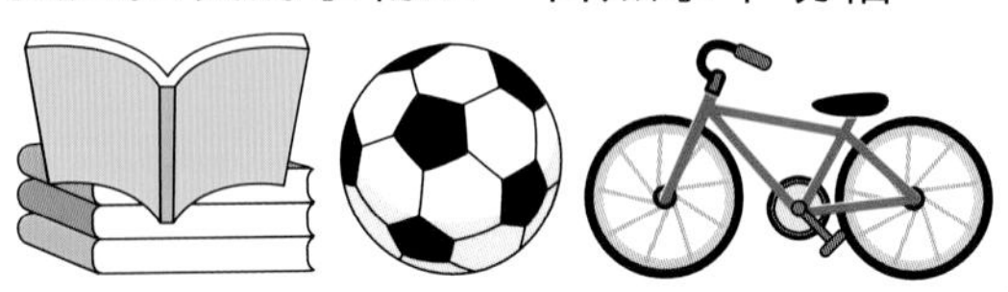

鼓勵和支持

每個人都有不同的專長，它們並沒有優劣之分，也與聰明與否沒有關係。遇到擁有別的專長的人，要對他們給予鼓勵啊！

尋找好老師

好老師不是指技術有多好、多有名，而是能根據孩子的學習程度，制定合適的課程，同時以孩子明白的方法去教導，讓他們能學懂！

擅長之外的能力

做擅長的事情是很快樂，可是不等於只能局限於此，也可試發展其他的興趣。愛因斯坦是有名的物理學家，但他的小提琴造詣亦很高，當想不通物理公式時，就會拉小提琴來放鬆心情啊！

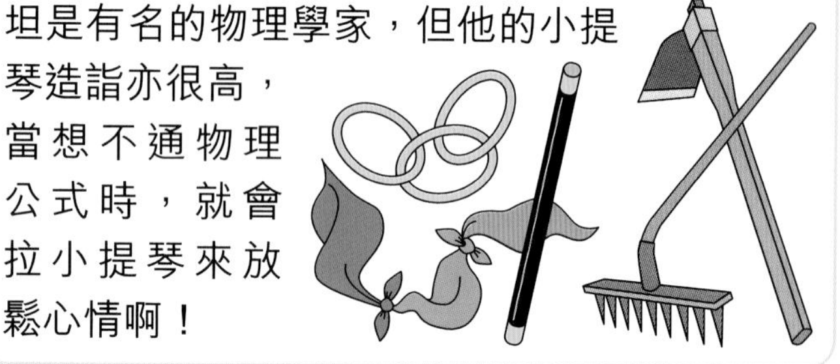

面對挑戰的心態

在學習的過程中，必定會遇到困難和挫折，如何面對失敗，用甚麼心態反省問題，才是成功的關鍵。

除了智商（IQ）外，情商（EQ）和逆商（AQ）在近年也愈來愈受人重視，甚至認為比智商更重要呢！

情緒智商(EQ)

即察覺及控制自己的情緒，用理性的方法表達，不會情緒失控。很多人誤會高情商就是抑壓情緒，其實這並不健康，反之是別讓情緒主導，要用溝通來找出對策才行。

逆境智商(AQ)

即面對逆境及困難時的反應，遇上挫折要積極面對，找出問題所在，是自己不足還是外在原因導致，再尋求解決的方法。

培養毅力與思考力

堅持比天分重要

就算擁有天賦，假如半途而廢的話，就不會成功，所以如何持續下去才是對天才的真正考驗。

批評與建議

無論做任何事，都會接收到別人的反饋，如果是合理的批評和建議就要虛心學習，才會有所進步。

反復思考

接收到正面的建議和負面的批評也須要好好反思，哪裏做得好所以成功？哪裏不足所以失敗？經過思考才會成為有用的經驗啊！

「還有甚麼？」和「怎樣做？」

天才對有興趣的事物會尋根問底追求答案，也會不滿足地再三問「還有甚麼？」及「怎樣做？」，所以遇到甚麼事都不應停下腳步，要動腦筋思考答案啊！

想知道更多天才的有趣故事，可閱《誰改變了世界？》系列。

語文

厲河老師的實戰寫作教室

在這個專欄中，我會批改讀者寄來的短篇故事，希望能讓大家從中學習如何寫作，提高創作故事的能力。不過，寫作風格千變萬化，不同的人可以有不同的寫法。

所以，我的批改也很個人化，可以說是「厲河式」的改法，並不表示一定要這樣寫才正確，大家拿來參考參考就行了。

跨越八百公里的愛｜小作者／李厚漁（小五）

我的妹妹最愛收集長毛絨娃娃，每次過生日、爸爸媽媽出差、家庭旅行……她要的禮物都是長毛絨娃娃。

後來她又迷上了去電玩城抓娃娃，幾年下來，我和妹妹的抓娃娃技藝都變強了，家裏的娃娃也堆成了座小山。

每當媽媽想送掉一些娃娃，妹妹卻怎麼也不肯①鬆口。你問她為甚麼要留下來？她又能說得頭頭是道——這個是迪士尼的紀念品，那個是景區發售的限量款……②這些例子比比皆是，我們也分不清真偽了！

（②總之理由層出不窮）

新冠疫情爆發後，有一天，媽媽正在刷朋友圈，突然她面色凝重地對躺在娃娃堆裏的妹妹唸起來：「在武漢市兒童醫院有這麼一群孩子，患有腫瘤或者得了白血病，年前來武漢求醫治療，由於疫情被困在③武漢無法回家。除了滿足衣物和金錢的基本需求，他們很久都沒有新玩具了，有些只能在病床上玩瓶蓋，還有些只能無聊地躺在床上……」

（③醫院）

妹妹靜靜地聽着，眨巴眨巴大眼睛，皺着眉，撅着嘴，好像下了甚麼大決定似的。她緊緊抱住自己最喜歡的「咪咪」，大聲說：「他們太可憐了，我要把我的娃娃送給他們！馬上就要兒童節了，如果沒有兒童節禮物，那可不行啊！」

週末，媽媽聯繫了志願者阿姨，來家中取走妹妹的寶貝娃娃們。因為娃娃們實在太多了，足足塞滿了一後蓋箱。妹妹一直追到了樓下，戀戀不捨地揮揮手，告別了她的「童年回憶」。

兒童節前夕，④有一天媽媽一下班，就迫不及待地給我們看志願者阿姨的⑤回覆微信。只見手機熒幕上有一張照片，是一個和妹妹年紀差不多的小姑娘，穿着粉色的T恤，戴着粉色的口罩，光着一個大腦門，眯着眼睛一臉陶醉。她⑥的懷裏抱着的，⑦赫然是妹妹最喜歡的「咪咪」！

（⑤傳來　⑦正）

跨越了八百公里，承載着妹妹童年美好回憶的⑧禮物，終於送到了新的小主人手中。我相信，這些娃娃會⑨聯繫起新舊小主人最美好的童心，以及最純真的愛。

（⑧娃娃）

（⑨把新舊小主人最美好的童心和最純真的愛聯結起來，陪伴他們一起健康地成長。）

《大偵探福爾摩斯》在內地舉辦了一個以小學生為對象的徵文比賽，這是冠軍作品，寫得非常出色，所以特意借來讓大家欣賞。不過，由於內地用語與香港的有些不同，看不明白的，請參考以下的對照表。

長毛絨娃娃＝毛公仔	抓娃娃＝夾毛公仔	景區＝景點
刷朋友圈＝看微信的留言	志願者＝義工	後蓋箱＝車尾箱

評註：

①「鬆口」是「不堅持自己的主張或意見」的意思。「不肯鬆口」就是「堅持自己的主張或意見」了。但妹妹在這裏並不是堅持某種主張或意見，只是不肯答允送掉一些娃娃而已，故應刪去「鬆口」。

②「比比皆是」用來形容數量「很多」，但主要含意是「到處都是」，所以用來形容妹妹「不肯送掉一些娃娃的理由」就不太貼切了，故改之。

③前一句已用了「武漢」，這裏改成「醫院」可避免重複。

④嚴格來説，「前夕」是指前一天的晚上，已説明了時間，故沒必要再説「有一天」。

⑤「阿姨的回覆微信」有點語病，正確的説法應是「阿姨在微信的回覆」，但是否「回覆」顯然並不重要，不如改成「傳來的微信」就更簡潔了。

⑥刪去這個「的」更簡潔。

⑦不加上「正」字也可，但有的話可令句子的節奏感更強，「赫然」所含的驚訝感也倍增。

⑧「娃娃」本身很形象化，對文中的妹妹來説更帶有感情色彩。但「禮物」卻是一種泛指式的用語，面目比較模糊。既然作者一直用娃娃來説這個故事，為何不直接寫作「娃娃」呢？

⑨這裏不改也無妨，但換了是我的話，我會這樣結尾，感覺更完整，也更形象化。此外，把「聯繫」改成「聯結」（或「連結」），是為了收窄語境，令意思更準確。因為，「聯繫」常在「用手機聯繫」、「大家保持聯繫」等語景中出現，可能會干擾了作者想表達的意思。

作者不僅文筆流暢，着眼點也很有意思，以毛絨娃娃來貫穿整篇作文，很形象化也很生活化，相信女孩子讀來必有感受。就算我這種成人讀者，讀後心中也泛起一陣暖意呢。不過，如果作者在「咪咪」身上再着墨多一點，諸如它是一個怎樣的娃娃，為何妹妹特別喜歡它等等，讀者對妹妹的「割愛」就會有更深刻的感受了。

投稿須知：
※短篇故事題材不限，字數約500字之內。
※必須於投稿中註明以下資料：
小作者的姓名、筆名（如有）及年齡，家長或監護人的姓名、地址及聯絡電話。
※截稿日期：2020年12月28日。

投稿方法：
郵寄至「柴灣祥利街9號祥利工業大廈2樓A室」《兒童的學習》編輯部收；或電郵至editorial@children-learning.net。
信封面或電郵主旨註明「實戰寫作教室」。

一經刊登可獲贈正文社網站購物現金券港幣$300元。

快樂大獎賞

我們都是小天才

每個人都有不同能力和興趣，若能善用自己的天賦特質，我們都是小天才。

參加辦法

於問卷上填妥獎品編號、個人資料和讀者意見，並寄回來便有機會得獎。

A LEGO Minions Unstoppable Bike Chase 75549 1名

格魯的誕生石被搶走了。迷你兵團坐上摩托車，與壞蛋展開追逐戰。

B 大偵探禮盒裝毛公仔 1名

附有厲河老師親筆簽名的出世紙。

C LEGO Creator 火箭卡車 31103 1名

啟動火箭卡車車尾的噴射引擎，加速前進。

D 反斗奇兵多功能法蘭絨毛毯抱枕 1名

抱着可愛的小叉抱枕睡覺，天氣冷時還可以攤開當毛毯和披肩。

E Thinkfun多米諾骨牌迷宮 1名

突破傳統平面玩法的立體骨牌迷宮，難度升級之餘，玩法亦多變。

F So Beads 2合1自製心意首飾 1名

不同圖案及字母吊飾自由組合，輕鬆製作時尚手鏈及頸鏈。

G Thinkfun 瑜伽旋轉遊戲 1名

轉盤停下，跟着顏色卡上的瑜伽姿勢做動作。

H 兒童的科學教材版第126期迷你電子琴 1名

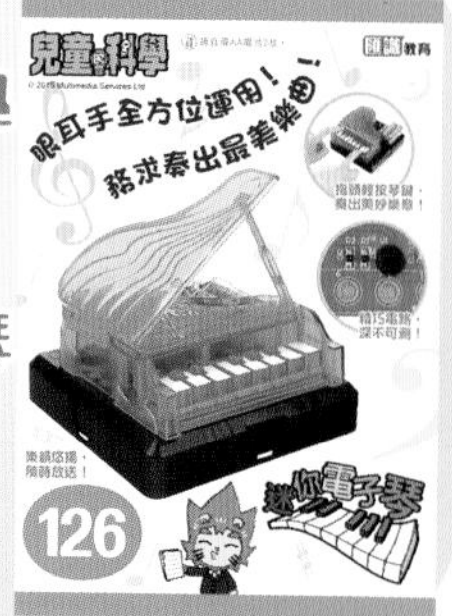

8個琴鍵奏出悠揚樂韻。

I 口袋波莉旅行車變身組合 1名

既然不能去旅行，就和波莉一起去露營吧！

第56期得獎名單

A LEGO Super Mario 71367 Mario's House & Yoshi 擴充版圖	劉顯祐
B 樂高星球大戰系列風暴騎兵手錶	李梓熙
C 紅色史努比積木座枱萬年曆	陳天朗
D 迷你兵團兒童背包	Kaden Lau
E 角落生物貓貓公仔	陳珮琳
F 恐龍大時代阿勞公仔	江昊臻
G LINE FRIENDS PVC鏡（隨機獲得其中一款）	Cherish Chiu 湯皓丞
H 大富翁搶錢風暴	蔡欣澄
I Hot Focus 魅力指甲扮靚套裝	區若霖

截止日期2021年1月14日
公佈日期2021年2月15日（第60期）

- 問卷影印本無效。
- 得獎者將另獲通知領獎事宜。
- 實際禮物款式可能與本頁所示有別。
- 本刊有權要求得獎者親臨編輯部拍攝領獎照片作刊登用途，如拒絕拍攝則作棄權論。
- 匯識教育有限公司員工及其家屬均不能參加，以示公允。
- 如有任何爭議，本刊保留最終決定權。

特別領獎安排 因疫情關係，第56期得獎者無須親臨編輯部領獎，禮物會郵寄到得獎者的聯絡地址。

上回提要：

年輕船長唐泰斯被誣告入獄，逃獄後化身為意大利神甫和法醫桑代克，設局令仇人裁縫鼠、唐格拉爾和費爾南都走上了末路。然而，當他準備向惡魔檢察官維勒福報仇時，卻反被對方的殺手偷襲，幸得當海盜時的同夥小鷹和庖屋四丑出手相救。其後，在小鷹等人協助下，更查出維勒福當年銷毀證據，是為了保護他的未來岳父萊文森！但與此同時，萊文森竟與侄兒弗朗西斯在同一個星期五神秘失蹤。在失蹤當天的早上，小鷹曾目擊他與一個身穿綠色夾克的男人在航海用品店購物後步往火車站。於是，唐泰斯喬裝警察，與小鷹一起進入他的研究室調查，但負責打掃的幫傭巴特勒太太指萊文森星期五傍晚曾回來，因屋內的物品有被移動過的跡象。此外，她更發現衣櫥中少了一件灰色上衣，卻多了一件綠色的夾克！唐泰斯在夾克中找到線索，與小鷹和金丑去到郊外的一個深坑調查，並在坑底中發現萊文森及其侄兒的屍體。萊文森背部中刀失救致死，其身旁還遺下一枝手槍，而弗朗西斯則胸部中槍斃命。唐泰斯估計，兩人的不同死法，是維勒福為了製造兩人自相殘殺的假象而故意安排的。調查完畢後，當小鷹游繩攀向坑頂時，維勒福竟突然在坑口出現，更用利鋸鋸向繩子……

「去死吧！」維勒福用力把鋸子一拉，繩子「嘞」的一聲斷開，小鷹迅即往下倒去！

「啊！」唐泰斯大駭。

然而，就在千鈞一髮之際，忽然「呼」的一聲響起，一條長長的黑影向維勒福打去。

維勒福仍未回過神來，已感到右腳遇到了一下強大的拉力，直把他扯向坑中。

「糟糕！」維勒福這時才意識到，他已被一條長鞭纏住了腳踝。那個他口中的姑娘，要把他扯下深坑同歸於盡！

就在墮進深坑的一剎那，他一把抓住繫

在木樁上的斷繩。同一瞬間，「嘭」的一聲隨即響起，他整個人硬生生地撞在岩壁上。幸好，他死命抓住繩子的雙手並沒有鬆開，小鷹和他都懸空吊在深坑的頂端！

「啊！」唐泰斯用望遠鏡親眼目睹這命懸一線的驚險場面，已被嚇得臉色刷白。

「怎麼了？小鷹怎麼了？」金丑緊張地追問。

「小鷹她……她用鞭子纏住了維勒福的長靴……現在兩人懸空吊在上面……」

「借我看一下！」金丑一手奪過望遠鏡。

「啊……！」金丑看到小鷹握着鞭子，正拚盡全力往上攀。

然而，維勒福也拚命地用左腳踢向纏在腳踝上的鞭子，企圖甩掉鞭子的束縛。

可是，不管維勒福怎樣踢，他也沒法甩開緊纏着的鞭子。同一時間，小鷹已愈攀愈上，看來就要摸到他的靴子了！

「休想！」維勒福人急智生，馬上騰出一隻手往長靴上的鞋帶結一拉，並用盡全身的氣力一踢。同一剎那，「嚓」的一聲響起，他終於甩掉了長靴。

「哇呀！」小鷹慘叫一聲，握着長鞭凌空墮下。

「糟糕！」金丑慌忙拉下腰間的銅網向唐泰斯撒去，並聲嘶力竭地大叫，「救人！」

唐泰斯頓時醒悟過來，一手接住向他撒來的銅網，並急急往後一蹬。

「哇呀呀呀呀呀！」小鷹那叫人心膽俱裂的慘叫響徹雲霄。她那弱小的身軀同時猛地往坑底撞去！

「接人！」金丑的吼聲剛下，已聽到「蓬」的一聲響起，小鷹剛好掉在張開了的銅網上。但同一瞬間，又響起了「啪嚏」一聲，她已從網中彈起，硬生生地摔到地上。

「啊！」唐泰斯看到此情此景，霎時呆立當場。

「嗚！」躺在地上的小鷹挪動了一下身軀，馬上吐出了一口鮮血。

「小鷹！」金丑扔掉銅網撲到小鷹身邊。

「金……我……這次……完……了……」小鷹顫動着嘴唇，像拚盡最後一口氣似的說，「請……告……告訴……大哥……我……」

小鷹說到這裏，嘴唇翕動了幾下後忽然止住。

「小鷹！」金丑慌了。

小鷹沒有回應，只是在嘴角泛起一抹慘笑，並緩緩地閉上了眼睛。

「小鷹！小鷹！你醒醒！」金丑大叫幾聲後，連忙為她把脈，又把耳朵貼到她的胸前細聽。

「小鷹……」唐泰斯被這膽顫心驚的一幕嚇得完全呆住了。

他只懂得呆呆地喃喃自語：「小鷹……她……她死了……是我害死她的……我為了報仇……卻害死了她……我……」

「大哥！」金丑突然抬起頭來喝道，「別呆在那裏！快想想辦法吧！小鷹還沒死！她還有心跳！」

「甚麼？」這聲大喝如雷轟頂，一下子就喚醒了唐泰斯。

然而，就在這時，坑頂又傳來了維勒福瘋狂的笑聲。

「哇哈哈哈哈！臭丫頭真有兩下子，但最終也鬥不過我啊！我本來可以扔些石頭下去砸死你們，但這些搬搬抬抬的髒活可不是我這種上等人幹的，反正你們也逃不出這個深坑，就嘗嘗活活餓死的滋味吧！哇哈哈哈哈！」

「別理那大魔頭！救人要緊！」金丑叫道。

唐泰斯回過神來，馬上奔到小鷹身邊檢視她的傷勢。

「怎樣？有救嗎？」金丑待唐泰斯檢查完後，心焦如焚地問道。

「唔……脈搏和呼吸都很弱，必須儘快救她出去醫治。」

唐泰斯知道小鷹暫時沒有生命危險後，終於回復冷靜。

「可是，繩索已被鋸斷了，怎樣救她出去呢？」

「坑頂已沒有動靜，看來維勒福已經走了。」唐泰斯站起來，抬頭看着坑壁，「這個深坑有如一口井，直徑約6呎左右，只要能躍到坑壁上，就有辦法攀回坑頂。」

「真的嗎？」金丑說，「躍到坑壁上並不難，我們合力使出一招羅漢衝天就行了。」

「好！就來一招羅漢衝天吧。」說着，唐泰斯蹲下來，解開小鷹身上的繩索，把它綁到自己身上。接着，他又解開鞭子纏着的長靴，用提燈照了照靴子裏面，然後把它放到萊文森的屍體旁邊。

「那靴子怎麼了？」金丑問。

「這個容後再說，逃出這裏要緊。」唐泰斯撿起銅網，用它把小鷹整個人包好，又把自己的斗篷撕成布條，把小鷹捆得牢牢實實。

安排妥當後，唐泰斯吩咐道：「金丑，待我攀上坑口後，你用繩子綁好小鷹，以便我把她拉上去。」

「好的。」金丑點點頭。

「來吧！」唐泰斯退後十步厲聲叫道，「使出你的羅漢衝天，把我拋上去吧！」

金丑雙腿往下一沉，紮好了馬步，並以雙手扣成一個腳踏，沉聲叫道：「我準備好了！」

「好！」說時遲那時快，唐泰斯已往後一蹬，全速衝往金丑。就在相距一步之遙之際，他猛地一躍而起，跳到金丑的「腳踏」上！

「嗨——！」金丑厲聲長嘯，用盡全身的氣力把唐泰斯往坑上拋去。

「唏——！」唐泰斯借着拋力屈膝凌空躍

起，當去到最高點時突然如青蛙般向橫撐開。「啪嗟」的一聲響起，揚起了一陣沙塵，金丑定睛一看，只見唐泰斯已像一根橫樑般撐在坑壁上了。

「**啊！**」此刻，金丑終於明白唐泰斯攀上坑頂的方法了。

大難不死的維勒福，裝腔作勢地向坑內高聲嘲笑一番後，心裏也禁不住為自己的幸運捏了一把汗。

原來，他前天想去岳父萊文森的研究室取回那件**綠色夾克**時，卻遠遠地看到一個**警察**與一個煤氣**維修技工**步出……

「警察？那警察去岳父的研究室幹甚麼？」維勒福暗地大吃一驚，慌忙閃到暗處躲避，「難道……難道警方已知道岳父失蹤，所以跑來調查？不，岳父常**一聲不響**就外遊幾天，他家裏的僕人絕不會為此報警呀。況且，如果要報警，一定會先跑來問准我……實在太可疑了。」

在**滿腹疑惑**之際，那個警察手上的東西更突然闖入他的眼簾！

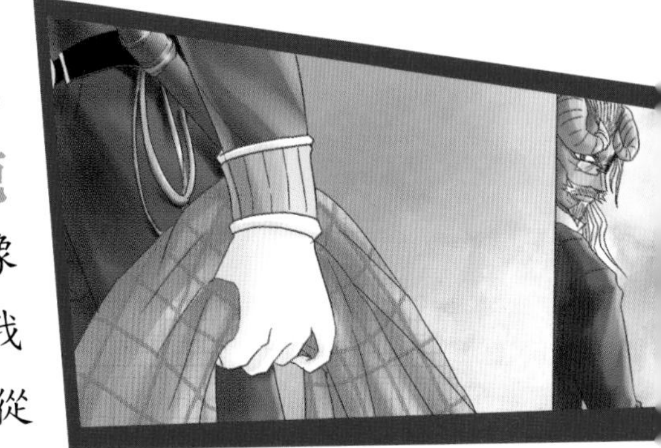

「啊……！那……那不是我的夾克嗎？」維勒福冷汗直冒，「那個警察……那個警察……怎會那麼快就發現我的**夾克**有可疑？唔？他身旁那個維修技工，好像有點**面善**……我在哪兒見過他呢？呀！我記起來了！我確是見過他！事發當天，我從格雷弗桑德的沙洞回來，正想到研究室取回手杖時，就在這條街上碰到他。我為免取回手杖後又碰到他，還故意在研究室中剃去**兩頰的鬍子**，又脫下**綠夾克**，換了一件灰色的斜紋呢上衣。可是，這個

維修技工為何會與警察在一起呢？」

維勒福看着那個警察與維修技工走到對面馬路後，他悄悄地從後跟上，並絞盡腦汁地思索：「**維修技工**……**警察**……他們有甚麼關係？」

「**呀！**」維勒福看着兩人的背影時，終於恍然大悟，「那維修技工的走路姿態不像男人，她是個女人！剃刀黨的殺手曾說過，救走唐泰斯的五個人當中，有一個鞭功非常厲害的少女。哼！肯定是她！」

「這麼看來……」維勒福心中閃過一下**悸動**，「維修技工和警察都是假扮的！看那警察的身高和動態，錯不了！**他就是唐泰斯！**」

維勒福看到兩人鑽進了一輛馬車後，慌忙也截了一輛跟蹤，直至見到兩人下車，登上了一艘停泊在碼頭的漁船後，他才急急離開。

次日，當他接到剃刀黨的**探子**來報，得悉唐泰斯和一個少女買了一根90呎長的**測深繩**後，已推測到唐泰斯的下一步行動。於是，他悄悄地跟蹤唐泰斯等人來到深坑，待他們攀到下面去後，才突然出現殺他們一個**措手不及**！

維勒福想到這裏不禁鬆了一口氣，他撿起掉在地上的短鋸，又用石頭使勁地把繩索的斷口磨了一會。他知道，倘若警方發現繩索是被鋸斷的話，必會追查鋸斷繩子的人。所以，他必須製造出繩子被**磨斷**的假象，以便引導警方作出以下的推論——

萊文森叔侄兩人為研究地質，相約到深坑下的沙洞調查。兩男一女的盜賊攀下行劫，並殺死了他們叔侄兩人。但是，三個盜賊準備游繩攀回坑頂逃走時，繩索卻被坑邊的石頭磨斷了。女盜賊墮下身亡，餘下的兩人被困坑底，結果活生生地餓死了。

「嘿嘿嘿，根據剃刀黨的調查，已知臭丫頭和那個矮子是**海盜**出身，只要讓蘇格蘭場得悉這個情報，他們必會向劫殺的方向調查。」維勒福心中暗喜，「本想製造岳父**叔侄相殘**的假象來殺人滅口，沒想到那個唐泰斯竟**自投羅網**，不但可讓我把案子偽裝成劫殺，令我不必擔心受到牽連，還可把他這個心腹大患一併除去，簡直就是**一石二鳥**啊！不過，此地不宜久留，要是給人看到就**前功盡廢**了。」

他想到這裏，馬上把唐泰斯遺下的繩索塞到大布包內，然後再擦掉地上的鞋印，以免留下與他自己有關的痕跡。

「可恨的是，我的一隻靴子掉進了深坑，破壞了這宗完美的犯罪。不過，當警方找到來時，唐泰斯他們已死，單憑一隻**來歷不明**的靴子，警方是絕不可能追蹤到我那裏去的。」維勒福看着失去了靴子的右腳，自言自語地呢喃。

然而，這時的維勒福卻萬萬沒料到，唐泰斯不但沒有死去，而這隻靴子還會成為指控他的**催命符**！

唐泰斯的兩手和雙腳有如一根橫樑似的撐着坑壁，一小步一小步地往上移動。

「啊……這就是江湖傳聞中的**壁虎功**嗎？」金丑抬頭看着撐在坑壁上的唐泰斯，不禁**嘖嘖稱奇**，「沒想到，唐泰斯大哥竟然懂得這個絕技。他實在太厲害了！」

不一刻，唐泰斯已攀到了坑頂邊緣，這時的他已幾乎**筋疲力盡**，但幸好那根斷繩就在眼前。他拚盡最後一口氣，騰出一隻手抓住繩子，再用力一蹬，翻身躍上了坑頂。

「嗄……嗄……嗄……」他躺在坑邊不斷地喘氣，但只是休息了一兩分鐘，就馬上爬起來解開斷繩，又把自己身上的繩子綁到木樁上。當他再往

坑內看去時，已見到一點微弱的**燈光**在坑底不斷打圈，又感覺到手中的繩索被拉了兩下。

金丑發出一切準備就緒的**信號**了！

「小鷹！你忍耐一下，我一定會把你拉上來！絕不容許你這樣就死去！」唐泰斯**鼓起餘勇**，拚命地往上拉。

大約一個小時後，唐泰斯和金丑已把小鷹送到了附近小鎮的醫院，並訛稱她遠足時跌傷了。在醫生的搶救下，小鷹脫離了危險期，她終於保住了性命。

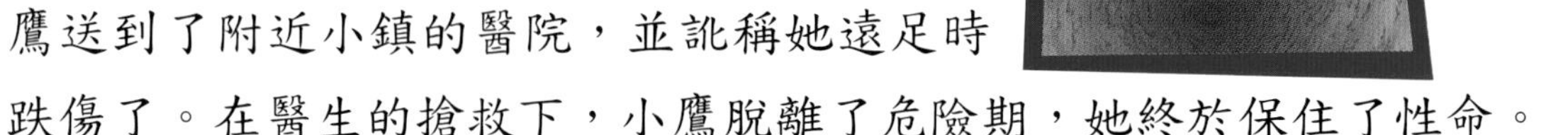

可是，步出手術室的醫生，卻**欲言又止**地向唐泰斯說：「先生，你的朋友已沒有生命危險，不幸的是……」

「不幸的是……？」唐泰斯緊張地問，「不幸的是甚麼？」

「不幸的是，她已**陷入昏迷**，不知道甚麼時候才能醒過來。」

「甚麼……？」唐泰斯不敢相信自己的耳朵。

「好好地照顧她吧。」醫生拍一拍唐泰斯的肩膀，安慰了一下就走開了。

「大哥……」強忍住眼淚的金丑說，「現在怎辦？我們必須為小鷹報仇，絕不可放過那個可惡的檢察長！」

唐泰斯眼下的那道疤痕閃過一下**紅光**，**咬牙切齒**地說：「哼！我要把他的罪行公開！那傢伙**自作聰明**，以為自己設下的陷阱天衣無縫，卻不知道斷頭台的繩圈早已為他準備好了！」

「難道你想舉報他？」金丑擔心地問，「可是，他在司法界勢力龐大，在警界也人面甚廣，就算舉報他，案子也很有可能被他壓下去啊。」

「我已想好了**殺手鐗**，只要與他

來個正面對決，就可令他那邪惡的真面目無所遁形！」

「噗」的一聲，唐泰斯那道疤痕裂開，又流下了一滴鮮紅的血。

三天後，當維勒福與妻子在教堂守完禮拜正想離開時，十多個自稱肯特郡警探的大漢一擁而上，在眾目睽睽之下把他們兩夫婦團團圍住。教堂內的人紛紛訝異地望向他們。

一個高高瘦瘦的警探踏前一步，語帶哀傷地向維勒福太太說：「夫人，請你節哀順變，令尊翁萊文森先生和你的堂弟弗朗西斯已不幸身故了。」

「怎可能？你們沒弄錯吧？」維勒福太太大為詫然。

「不，我們已確定了他們的身份，絕不會錯。」

「怎會……怎會這樣的？」維勒福太太六神無主地問，「他們……他們是怎樣死的？」

「夫人，你想我在這裏回答你嗎？」高個子警探往一臉錯愕的維勒福瞟了一眼。

「請說吧，如果他們真的死了，我也要知道他們的死因呀。」

「夫人，既然你這麼說，我也只能坦白了。」警探故作神秘地湊到她的耳邊，低聲地說了一句旁人聽不到的說話。

「甚麼？你說甚麼？」維勒福太太聞言大吃一驚，踉踉蹌蹌地退後了幾步，不敢置信地問，「你說……你說他們是被我丈夫殺死的？」

「對！他們正是被你丈夫維勒福殺死的！」警探大手一揮，指着維勒福揚聲道。

剎那間，整個教堂變得鴉雀無聲，只餘警探那洪亮的聲音在教堂內來回縈繞，久久不散。

「啊……！」

「不會吧……？」

「怎會……？」

不一刻，教友之間紛紛竊竊私語，驚訝之聲此起彼落。

維勒福慌了，他連忙高聲罵道：「我殺了岳父和堂弟？別胡說八道！」

「對！外子怎會殺死家父，你不要含血噴人！」維勒福的妻子仿似被丈夫的罵聲喚醒了似的，也慌忙駁斥道。

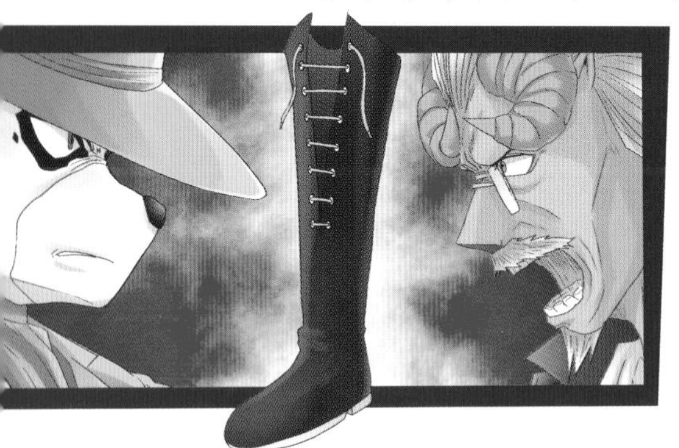

高個子警探只是冷冷地往她瞥了一眼，就轉過頭來向維勒福道：「我們在兇案現場找到一隻靴子，經你的僕人證實，那靴子是你的。而且，他們還說，你上周五穿着那對靴子出門，但晚上回家時，卻換上了一對全新的皮鞋。」

「靴子……？」維勒福雖然大吃一驚，但他那狡猾的眼珠子只是游移了一下，就不慌不忙地反駁道，「我穿的靴子都可在鞋店買到，就算僕人以為那是我的，但也只能證明那是同一款式，並不能證明是我的呀？」

「嘿嘿嘿，靴子的款式可以相同，但靴子內的腳印卻是獨一無二的啊。」警探語帶譏諷地咧嘴一笑，「你貴為總檢察長也不知道嗎？鞋子穿久了，腳汗會令鞋子裏面形成一個清晰的腳印啊。」

「甚麼？」維勒福冷不防對方有此一着，頓時語塞。

「甚麼靴子？你們究竟在說甚麼？」維勒福太太緊張地問。

維勒福沒理會太太的追問，反守為攻地向警探問道：「你們在哪裏找到那靴子的？」

「你明知故問，當然是在格雷佛桑德的一個深坑之中啦。你

岳父叔侄兩人就是伏屍在那裏，一個被你用**刀**刺殺，另一個則被你一**槍**打死。靴子就掉在你岳父身旁。」

「不可能！還有三個——」維勒福幾乎**脫口而出**，但他猛地剎住，連面容也扭曲了。

高個子警探狡黠地笑問：「還有三個？三個甚麼？」

「沒……沒甚麼。」維勒福額上已滲出了幾滴冷汗，慌忙岔開話題，「你的指控實在**無稽**，我……我沒有任何動機殺死岳父大人呀。」

「**不，你有動機！**」那警探一口咬定，「我們已向你堂弟的家人查問過了。萊文森先生立了遺囑，把侄兒弗朗西斯定為遺產**第一繼承人**，要是弗朗西斯不幸比萊文森先生先死，遺產就由**第二繼承人**繼承。而這個第二繼承人不是別人，就是尊夫人。你的岳父留下了好大一筆遺產啊，這還不算是動機嗎？」

維勒福沒想到警方竟調查得那麼深入，一時之間也找不到言詞反駁。

高個子警探施施然地轉過頭去，向維勒福太太說：「夫人，你應該很清楚**遺囑的內容**，我說的沒錯吧？」

「這……你說的沒錯。但是……但是不能這樣就懷疑外子呀。」

「嘿嘿嘿，這個當然。但問題是，兇手**殺人的手法**非常特別。他一槍打死你的堂弟，卻留下5顆子彈不用，只是用刀刺傷令尊翁，讓他流血過多地慢慢死去。用意不是很明顯嗎？」

「**用意明顯……？**」

「還不明白嗎？就讓我告訴你吧。」高個子警探掃視了一下圍觀的教友，氣定神閒地說，「剛才我已說過，遺囑寫明，弗朗西斯是遺產的產**第一繼承人**，只要他比令尊翁**長命**，就可繼承遺產。換句話說，只要他比令尊翁多活幾分鐘，遺產就由他繼承，就算他隨後死去，也可傳給他的妻兒。反之，如要讓**第二繼承人**繼承遺產的話，他必須比令

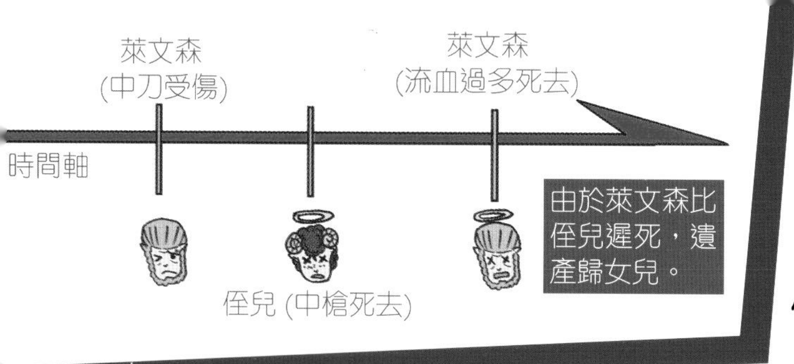

尊翁早死，那怕只是早幾分鐘，才能符合遺囑的規定。」

「我……我不明白你的意思。」維勒福太太說。

「說白了，就是你丈夫故意令你父親流血過多致死，以便拖慢他死去的時間。但你的堂弟卻是一槍斃命。這麼一來，就可以製造出一個情況——你的堂弟比令尊翁早死，不能獲得遺產，而你就成為遺產的正式繼承人了。不過，這個複雜的安排還有一個更驚人的陰謀。」

「陰謀？」

「對！那就是，你丈夫企圖製造出他們叔侄相殘的假象！」高個子警探眼底閃過一下寒光，「令警方以為，令尊翁被侄兒偷襲刺傷，但他負傷頑抗，開槍打死了對方，最終失血過多致死！這麼一來，你丈夫就可置身事外，警方也不會懷疑他了。」

「你！你簡直是信口雌黃！只憑一隻來歷不明的靴子，就天花亂墜地編出這麼荒唐的故事！你以為有人會信嗎？」維勒福破口大罵，「我這一個月來都沒有見過岳父大人，怎可能設局殺死他！」

「你以為我們肯特郡的警察是吃素的嗎？除了你的靴子，我們還在案發現場找到了一根測深繩呢。」

「哼！那又怎樣？跟我有甚麼關係？」

「嘿嘿嘿，你知道嗎？那可不是一般的繩子，只有在航海用品店才能買得到的啊。」高個子警探冷然一笑，「幸好倫敦只有十多家這種店鋪，我們輕易就查出繩子的出處了。那是你和你的岳父在艾丁頓航海用品店買的！這絕不是信口雌黃，我們有店員作證。」

「胡說……你誣衊我！」

「誣衊？我還未說完呢。在你岳父的研究室中，我們找到一件綠色格子夾克，但他的家務女傭巴特勒太太說，她從未見過萊文森先生穿那種夾克，不知道為甚麼會突然出現在衣櫥裏。」高個子警探步步進逼，「更不巧的是，你家的僕人一眼就認出，那是你的夾克呢。」

「啊……！」維勒福被嚇得整個僵住了。

「綠色格子夾克……？」維勒福太太驚愕萬分地看着丈夫，「你確實有一件那樣的夾克……怎會這樣的？你和爸爸之間究竟發生了甚麼事？」

「不……不要聽他揑造事實。你也知道，我和你爸爸的關係很好，怎會因為遺產就——」

「維勒福先生，你懂得程序，要辯解的話請到法庭慢慢說。」高個子警探打斷了他的說話，義正詞嚴地說，「我們懷疑你犯了謀殺罪，現在要拘捕你！」

說完，高個子警探掏出手銬，銬住了維勒福的手。幾個警探一擁而上把他押出了教堂。教友們看到這情景，全都呆住了。

維勒福被塞進了門外一輛馬車，高個子警探一屁股坐在他對面，猛然盯着他說：「當年，你身為檢察官，不但沒有履行主持公義的職責，還利用司法機關把一個無辜青年打進黑牢，害他痛不欲生！現在，該輪到我利用司法機關，把你打進黑牢了！」

「你……你說甚麼？」維勒福大駭，「你……你難道是……」

「嘿嘿嘿，傻瓜！你終於知道我是誰了吧？」高個子警探擦去臉上的斑點，厲聲道，「沒錯，我就是唐泰斯！」

「你……！原來真的是你！你想怎樣？要殺就殺……我不怕你！」維勒福雖然驚恐萬分，但仍口硬地罵道。

「嘿嘿嘿，你現在只是一隻螞蟻，我只要用

指頭一捏，就可以把你捏死。」唐泰斯鄙視地說，「不過，我不想玷污我的手，一刀捅死你的話也太便宜你。我已通報了蘇格蘭場，他們已掌握了所有線索。把你送上絞刑台的髒活，就由他們去幹吧！」

「你……你假冒警察，以為這樣可以入罪於我嗎？」

「總檢察長大人，我知道警方也忌你三分，要把你入罪確實並不容易。」唐泰斯一頓，道出致命的一擊，「不過，我已把你的罪狀全公開了，教堂的人都聽到啊。就算你用盡泰晤士河的水，也不能洗脫嫌疑！」

「啊……原來如此……你……好狠毒！」

翌日，報紙的大字標題報道——

> 「總檢察長維勒福在眾目睽睽之下被神秘團夥擄走，一小時後被發現倒臥於蘇格蘭場的門前！其謀殺岳父和堂弟的驚人內幕更遽然曝光！」

唐泰斯把早報放下，向仍然躺在床上昏迷不醒的小鷹喃喃自語：「全靠那隻靴子，維勒福已被警方拘捕了，看來他必死無疑。但他這個人死有餘辜，不但殺死倒皇黨的岳父切斷我們的追查，還殺死堂弟企圖奪取遺產。但他萬萬沒想到，他這個一石二鳥之計，卻成為了他作繭自縛的催命符！」

「可是，我……我卻害你昏迷不醒……」唐泰斯的淚水扑簌簌地流了下來，他輕輕地握着小鷹的手，苦苦哀求，「我……我對不起你……小鷹，你快點醒來吧。」

說到這裏時，唐泰斯忽然打住。一股暖意從他的手心傳來，他感到小鷹用力地握住了他的手！

新故事預告：《M博士外傳》的復仇故事告一段落，下期全新篇章隆重登場！唐泰斯終於與少年福爾摩斯相遇，迸出令你意想不到的火花！

親子

掃描 QR Code
可觀看製作短片。

聖誕將至，但今年因疫情關係無法出國旅遊。頑皮貓唯有親手製作漂亮的搖搖聖誕卡，寫上心意，送給家人和朋友。

所需材料

雙面膠紙

海綿雙面膠紙

p.31、33 紙樣

亮片

A6 A5

透明膠片　薄硬卡紙　美工刀　剪刀　漿糊筆

*使用利器時，須由家長陪同。

將A4薄硬卡紙對摺，裁成兩張A5，一次就能製作2張聖誕卡。

製作難度：★☆☆☆☆
製作時間：約 15 分鐘

製作流程

1. 將A5薄硬卡紙對摺，打開後如圖中尺寸畫線。

1.8cm
1.2cm　1.2cm
1.8cm

2. 如圖在框線四邊貼上雙面膠紙。

—— 沿黑線剪下　黏貼處

3 用美工刀裁掉內框長方形，然後黏上透明膠片。

小提示：
膠片尺寸為A5的一半。

4 在透明膠片四邊貼上海綿雙面膠紙。

貼海綿雙面膠紙不能留下空隙，否則搖動時亮片會卡住。

5 在膠片內倒入適量亮片。

亮片倒得太多，會看不到聖誕卡上的圖案。沒有亮片，也可用珠子代替。

6 剪下聖誕卡紙樣，在背面寫上心意。

7 最後撕開海綿膠紙，對齊紙樣貼好。

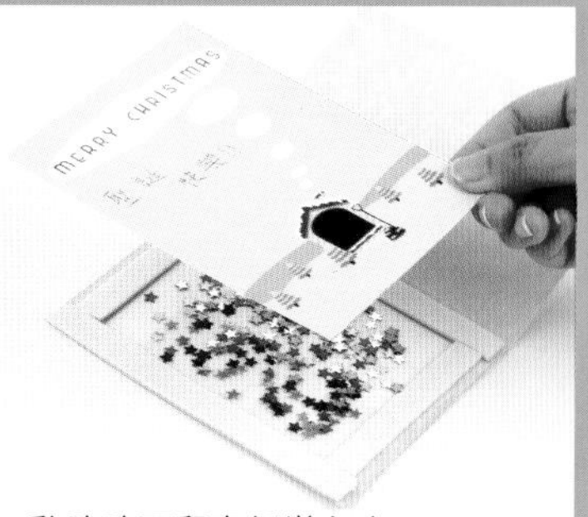

黏貼時要留意紙樣方向。

搖一搖，
閃亮又有聲。

不要倒入閃粉。由於摩擦產生靜電，搖動聖誕卡時，閃粉會黏着膠片，就會看不到卡上的圖案哦。

Merry Christmas

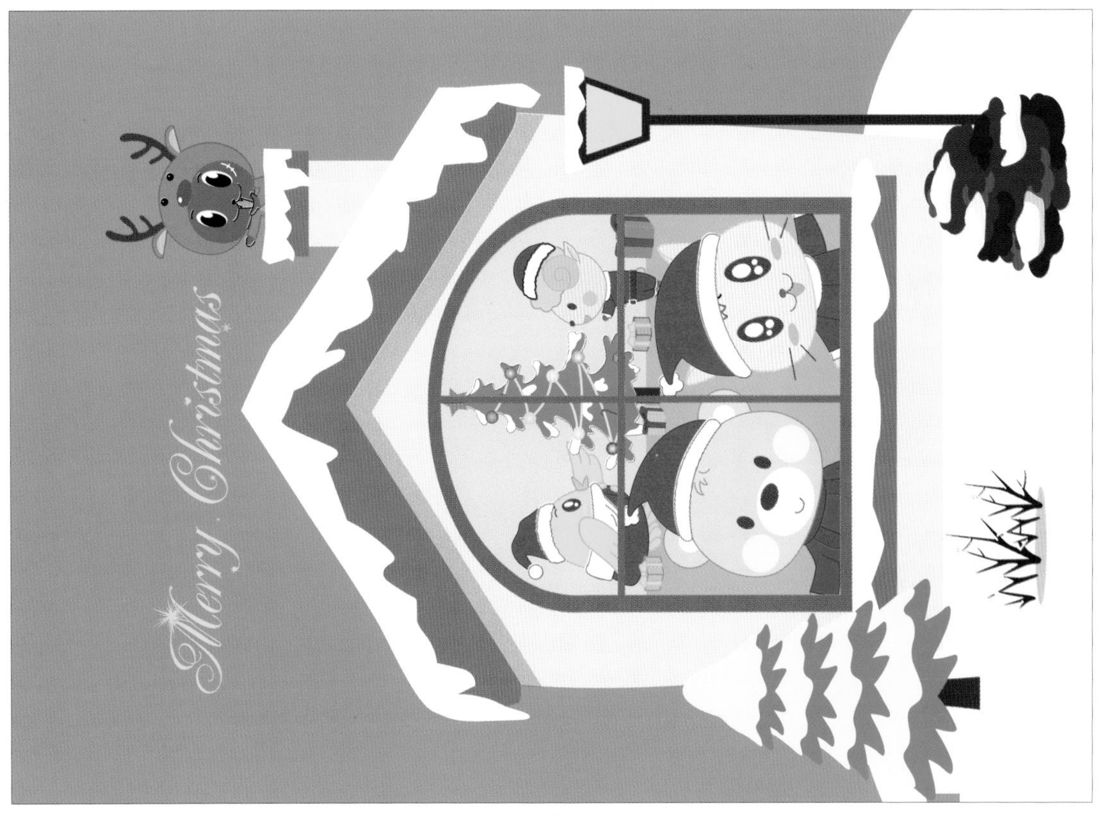
Merry Christmas

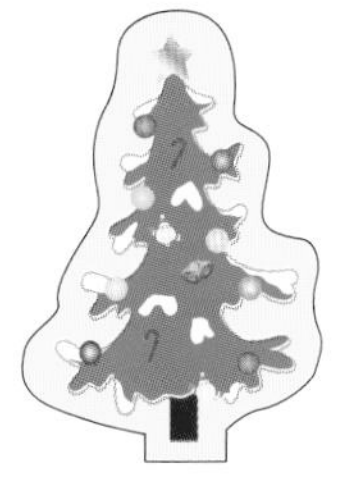

MERRY CHRISTMAS

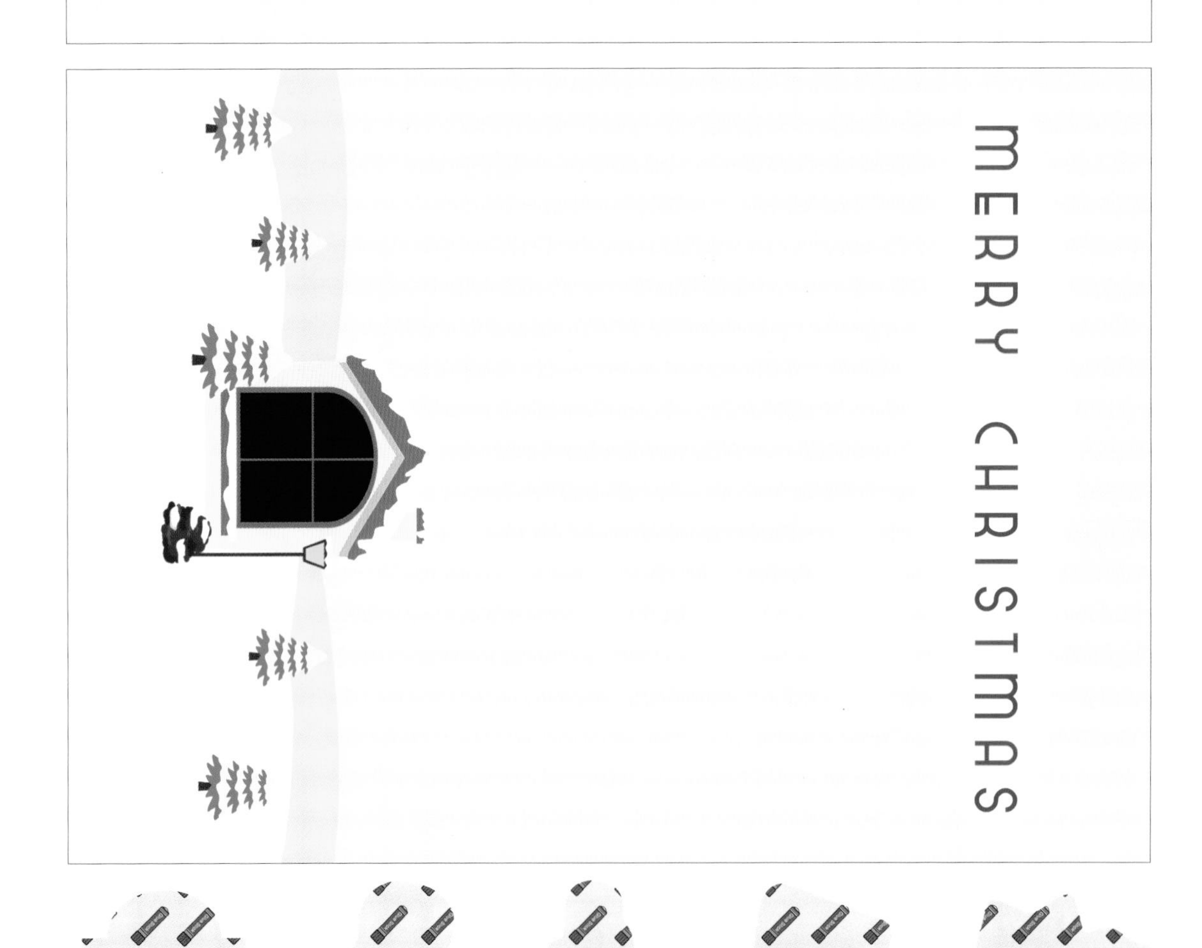
MERRY CHRISTMAS

Scotch®
思高®牌膠紙及膠紙座系列

Scotch®馬卡龍
造型膠紙座
5款顏色膠紙座+神奇隱形膠紙
安全刀片
方便撕取
+
表面可
書寫
Invisible
810
810D
神奇隱形膠紙
600
透明膠紙
665
136
雙面膠紙
811
183
可再貼隱形膠紙
810MD
馬卡龍造型隱形膠紙座
C-40
C-39
C19
膠紙座
夾式旋轉膠紙座

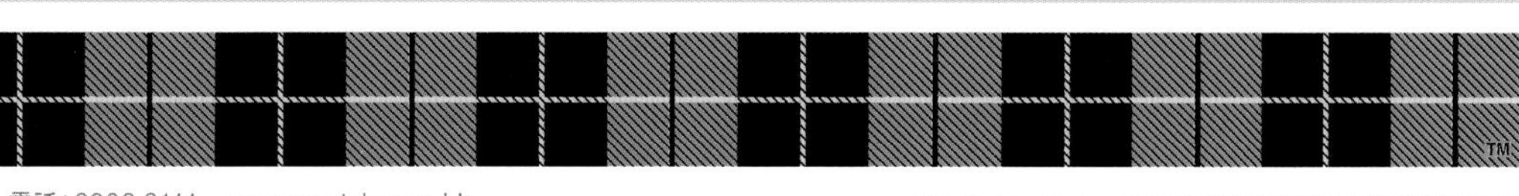
3M

正文社網上書展

書展雖然延期，但我們將會舉行網上書展，不但有多本新書推出，還有各種優惠！大家可以安心在家選購！而且買滿$100可免運費哦！

舉辦日期：
12月11日至30日
網上書展即上：
www.rightman.net

三大訂閱優惠！

①訂閱《兒童的學習》

凡訂閱《兒童的學習》12期，即送偵探眼鏡或詩詞成語競奪卡或大偵探文具套裝或神奇魔法沙。

②訂閱《兒童的科學》

凡訂閱《兒童的科學》實踐教材版12期，即可獲贈「大偵探太陽能+動能蓄電電筒」。

③ 同時訂閱《兒童的科學》教材版及《兒童的學習》各12期，即獲$100優惠！

購書/訂閱方法

① 點選右上角的圖示。

② 點擊「訂閱雜誌」或「線上購買」按鈕。

③ 按「線上購買」後，將要買的書加入「購物籃」。

④ 點選右上角的「購物籃」，確認訂單後，按「結算」付款。

看森巴漫畫，探究科學，學習英文！

森巴STEM 科學知識系列②

全彩色精彩冒險漫畫，加上詳盡解說專欄，為你解開呼吸的秘密！

森巴FAMILY⑤

中英對照，清楚易懂！
助你輕鬆學英文！

全線新書大特賣

大偵探福爾摩斯系列

M博士外傳 ⑤

幕後黑手檢察官維勒福派出殺手突襲唐泰斯！究竟唐泰斯能否逃過一劫，打倒最後的仇人呢？

英文版 ⑭ 瀕死的大偵探

黑死病侵襲倫敦，大偵探也不幸染病，危在旦夕！究竟病菌殺人的背後隱藏着甚麼不可告人的秘密？

漫畫版 ⑩ 無聲的呼喚

不肯說話的女孩目睹兇案經過，大偵探從其日記查出真相，卻使真兇再動殺機，令女孩身陷險境！

四字成語 101 ②

收錄101個成語，配合小遊戲和豐富例句，提高閱讀及寫作能力！

英文填字遊戲

遊戲分三個階段，循序漸進，由淺入深。而且每個考驗附有「實用小錦囊」，介紹生字相關文法知識、中英對照例句及西方文化。

提升數學能力讀本

透過各種趣味遊戲、精彩故事與漫畫，深入淺出闡釋數理概念，提升你對數學的興趣，加強運算能力。

分數·小數·百分數

12月下旬出版，優先預訂。

兒童的科學叢書

誰改變了世界? ③

4個科學先驅的故事

四位著名科學家的生平故事。

輯錄《兒童的科學》連載漫畫，並附有相關科學專題及小遊戲。

小說 名偵探柯南電影版 ②

絕海的偵探

柯南等人登上神盾艦參觀時，得知有間諜混入參觀者之中，小蘭更遇上大危機！

MEITANTEI CONAN ZEKKAI NO PRIVATE EYE ©2013 Shima MIZUKI ©2013 Gosho AOYAMA / DETECTIVE CONAN COMMITTEE

少女神探 愛麗絲與企鵝 ⑨

阿拉伯的約會

轉校生找愛麗絲幫忙向同班同學告白，她能否成功牽上紅線？及後二人約會時被壞人脅持，偵探們要如何營救？

KAREI NARU TANTEI ALICE & PENGUIN
©2014 Hidehisa NAMBOU / SHOGAKUKAN
Illustrations by ARUYA

派對小食瑞典肉丸

瑞典除了以寒冷見稱，你們還想到甚麼？大家都應該在香港吃過馳名小食瑞典肉丸吧！學懂怎樣做，就可以在聖誕派對上廣宴親友。

材料雖然多，但步驟簡單，很容易學懂啊！

掃描 QR Code
可觀看製作短片。

所需材料（約可做25粒）

- 免治牛肉 250g
- 免治豬肉 250g
- 洋蔥1/2個（切碎）
- 番荽碎適量
- 牛奶70ml
- 麵包糠3湯匙
- 黑胡椒1/2茶匙
- 越橘果醬適量
- 蒜頭1粒（切碎）
- 鹽1茶匙
- 雞蛋1隻

醬汁材料

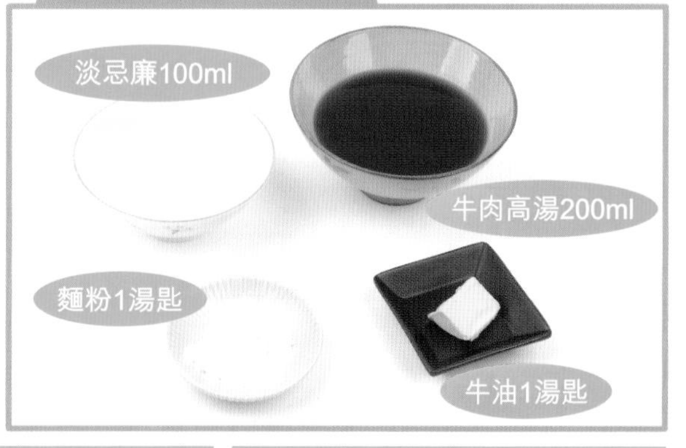

薯蓉材料

1 先將馬鈴薯削皮，切塊。

*使用利器時，須由家長陪同。

2 將馬鈴薯放進沸水中煮熟（約15分鐘）。

*使用爐具時，須由家長陪同。

3 煮馬鈴薯同時可處理肉丸。將牛肉、豬肉、蒜粒、洋蔥粒、麵包糠、雞蛋、鹽及黑胡椒放進大碗中拌勻。

*①考考你：為甚麼在肉丸中要加入麵包糠？

4 將牛奶逐少加進做法 3 拌勻。

5 將做法 4 混合物搓成一粒粒肉丸。

小貼士：
若時間充裕，可將肉丸放進雪櫃冷藏約2小時，令肉丸不易鬆散。

6 熱鑊下油，放入肉丸用中火煎熟，盛起備用。

*②考考你：
怎樣才知道肉丸已熟？

7 馬鈴薯煮熟後壓成薯蓉，加入鹽、黑胡椒及淡忌廉拌勻。

8 煮醬汁。小火熱鑊後下牛油，倒入麵粉炒成糊狀。

9 加入牛肉高湯煮沸，再下淡忌廉煮至濃稠。

10 將肉丸盛盤，淋上做法 9 醬汁，灑上番茜碎，薯蓉伴碟。

除了醬汁，伴以越橘果醬味道更豐富更地道啊！若找不到越橘果醬，也可用其他紅果醬代替。

越橘果（Lingonberry）你吃過嗎？

越橘屬杜鵑花科植物，多生長於北國一帶高原，性耐寒，其漿果呈鮮紅色，北極圈居民多製成果醬配搭肉類菜餚。越橘果含有豐富多酚，有助預防炎症、心血管疾病、糖尿病等。

答案：①麵包糠可增加黏性，也能令肉丸質感鬆軟。
②肉丸呈圓球狀，有可能外表已經焦黃，但內部還未熟透，最好用筷子穿一個洞看看裏面確認。

① 英文拼字遊戲

根據下列 1～5 提示，在本期英文小說《大偵探福爾摩斯》的生字表（Glossary）中尋找適當的詞語，以橫、直或斜的方式圈出來。

B	E	Y	S	H	U	Z	I	E	V	L	Q
W	L	H	F	J	U	G	Q	M	C	E	I
F	K	E	W	X	R	J	L	T	K	M	E
I	C	M	C	V	N	E	J	G	D	L	S
R	Y	T	R	H	W	Q	L	B	R	U	C
M	S	N	I	V	E	L	A	S	X	J	R
L	L	N	R	F	C	R	I	Y	D	C	A
Y	K	E	W	Z	S	P	U	N	K	Y	T
G	L	Y	M	D	K	Y	P	V	B	H	C
R	U	M	O	S	H	V	H	A	R	S	H

例（形容詞）苛刻的、嚴厲的
1.（名詞）抓痕
2.（動詞）哭哭啼啼
3.（副詞）肯定地
4.（形容詞）膽色過人的
5.（名詞）好色之徒

② 看圖組字遊戲 試依據每題的圖片或文字組合成中文單字。

例

爽

a

______

b

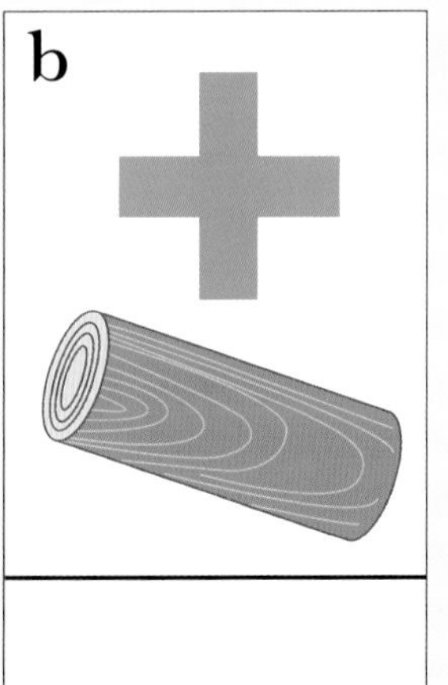

______

c

______

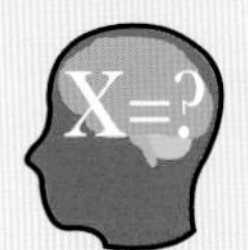

推理題 ③ 誰偷吃布丁

放在桌上的布丁被吃了一半，五人各自辯解：

是活潑貓吃了。

頑皮貓說謊。

我沒有吃。

教授蛋沒有說謊。

不是無膽熊吃的。

當中只有一人吃了布丁，五人裏有三人沒有說謊，那麼是誰吃了布丁？

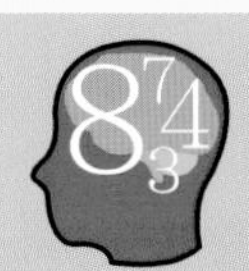

數學題 ④ 黑白足球

一個足球用黑色五邊形皮塊和白色六邊形皮塊縫製而成，如果縫製一個足球要使用12塊黑色皮塊，那麼要用多少塊白色皮塊呢？

答案

1.

B	E	Y	S	H	U	Z	I	E	V	L	Q
W	L	H	F	J	U	G	Q	M	C	E	I
F	K	E	W	X	R	J	L	T	K	M	E
I	C	M	C	V	N	E	J	G	D	L	S
R	Y	T	R	H	W	Q	L	B	R	U	C
M	S	N	I	V	E	L	A	S	X	J	R
L	L	N	R	F	C	R	I	Y	D	C	A
Y	K	E	W	Z	S	P	U	N	K	Y	T
G	L	Y	M	D	K	Y	P	V	B	H	C
R	U	M	O	S	H	V	H	A	R	S	H

2. a. 詩　b. 架　c. 襲

3. 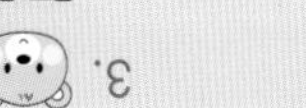

既然三人說了真話，即是有兩人說謊。
與 一定是有一個人說謊 和 可能是兩人同時說謊，或者同時說真話，但如果 和 說謊，加上 或 其中一人，便會有三人說謊，所以 和 都是說真話。現只剩下 、 和 其中一人說真話，但因已確定 和 其中一人說了真話，所以另一說謊者必定是 了，那麼吃了布丁的就是 啦。

4. 20 塊。
一塊黑色皮塊旁邊連着五塊白色皮塊，按推算白色皮塊便需要 12x5 即是 60 塊，但一塊白色皮塊旁邊是連着三塊黑色皮塊，所以將 60 除以 3，正確是需要 20 塊白色皮塊。

聖誕節大家安排了甚麼節目？在普天同慶日子跟親友歡聚的同時，也不要對防疫掉以輕心，要注意個人衛生和避免親密接觸啊！

《兒童的學習》編輯部

疫情下大家的生活模式或多或少也有改變，希望大家有充足的作息時間，有健康的身體對抗病毒。

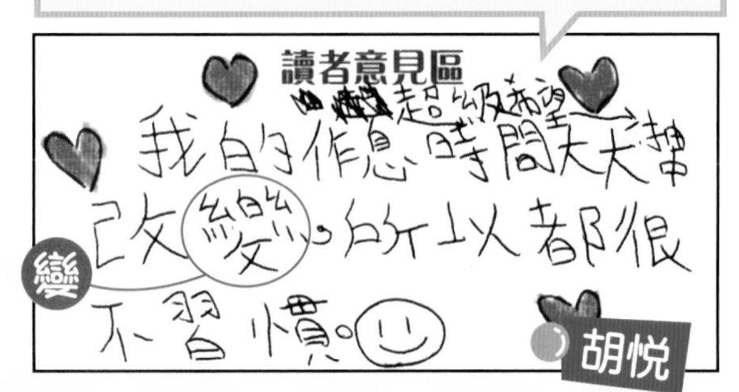

李泳莜

讀者意見區

希望刊登

綠衣神秘人是維勒福嗎？

沒錯啊，最後那件綠色夾克也成為指控維勒福殺死他岳父的關鍵證據。

教授蛋答問區

Q1 窮寇莫追是甚麼意思？

「窮寇」指陷入困境、走投無路的敵人。「窮寇莫追」意謂不要追窮途末路的敵人，以免敵人拼死反抗，最終招致自己損失，也比喻勿逼人太甚。

提問者：林靖

Q2 為甚麼月亮會發光？

月球本身並不會發光，我們看到的其實是月球被太陽照射後反射出來的光。而月球圍繞地球轉動，地球、月球和太陽之間的位置會不斷變化，有時候，地球會擋住了照射到月球的陽光，造成陰影，這就是我們看到的彎月、半月等。

提問者：黃芷晴

如果大家有任何疑問，也可寫在問卷上寄回來，讓教授蛋解答。

The Dying Detective ⑥

Sherlock Holmes
London's most famous private detective. He is an expert in analytical observation with a wealth of knowledge. He is also skilled in both martial arts and the violin.

Author: Lai Ho
Illustrator: Yu Yuen Wong
Translator: Maria Kan

Watson
Holmes's most dependable crime-investigating partner. A former military doctor, he is kind and helpful when help is needed.

Previously : Three dead bodies with blackened skin were discovered in London's slum area and their suspected cause of death was the Black Death. Inside the wallet of the fourth victim named Victor Savage, Holmes found a banknote with three names written on it. This banknote turned out to be a crucial clue, but unfortunately, Holmes had also contracted the Black Death himself during the investigation. In order to save his best friend, Watson headed to the medical school to seek help from three infectious disease experts, but they had all turned him down. As Holmes lay dying on his bed, the murderer suddenly showed up in 221B Baker Street, demanding Holmes to hand over the murderous box...

The Cold-Blooded Monster

"Gorilla's slap was brilliant," said Watson after Gorilla had taken Bloom away.

"It was brilliant indeed," agreed Holmes in a frail voice as he dragged his weak body to sit down on the bed.

"Wasn't your illness just an act? Are you really sick?" asked the worried Watson.

"I haven't consumed any food for four days, not even a glass of water. I'm not pretending, Watson. I really am sick, not from the Black Death but from starvation and dehydration," replied Holmes in a rasp.

Watson turned from feeling concerned to appearing irritated, "You should've told

Glossary frail (形) 虛弱的　drag(ged) (動) 拖着　starvation (名) 飢餓　dehydration (名) 脫水
rasp (名) 乾澀沙啞聲、喘氣聲　irritated (形) 煩躁的、氣惱的

me earlier. You had me worried sick."

"I couldn't have told you. Don't you understand? I didn't eat nor drink because I needed to fool you, the landlady, Alice and, most of all, Bloom," explained Holmes. "You are an honest man. If I were to tell you the truth, you wouldn't have been able to put on a convincing act to persuade that monstrous killer to come here."

Watson thought over Holmes's explanation for a moment but found it somewhat contradictory, "Hang on a minute. Did you just say that Alice was fooled too? That can't be true. She saw me come upstairs but she lied to Bloom and told him I hadn't returned yet. Her lie must've been part of your master plan."

"I guess you saw through it," said Holmes with a chuckle. "Yes, her lie was part of my plan. I told Alice the truth about my condition and asked her to put on her greatest performance after you headed out to the medical school. That girl is so clever and **spunky** that I knew she wouldn't **botch** the job."

"I can't believe this! How could you think so little of me? Are you saying that I would **fumble** and Alice wouldn't?" **huffed** Watson.

"Don't you think so too?" said Holmes **rhetorically**.

Watson felt offended but he knew there was no point to keep arguing with Holmes, so he asked instead, "How

Glossary spunky (形) 膽色過人的 botch (動) 搞砸 fumble (動) 失手 huff(ed) (動) 氣沖沖地說 rhetorically (副) 反問地

did you know that Bloom was the killer?" This question was spinning in Watson's head while he was hiding below the bed.

"I didn't know that he was the killer."

"Really?"

"Really," nodded Holmes. "When I saw the three names written on Savage's banknote, I just suspected that the killer must be one of them."

"How come?"

"There were remnants of charcoal debris at the crime scene. Savage's skin was also flushed red, which was a typical sign of carbon monoxide poisoning."

"I see." As a doctor, Watson was well versed in the signs of carbon monoxide poisoning.

"Moreover, I found four light scratches on Savage's left cheek. From the shape and position of the scratches, I speculated that the scratches must've been caused by the killer's fingernails when the killer smothered Savage's face with a chloroform-soaked handkerchief."

"I see."

"After Savage had passed out, the killer must've moved Savage onto the bed then lit up some charcoal, causing Savage to breathe in large amounts of carbon monoxide in that small, enclosed room. However, the killer had carelessly left some remnants of burnt charcoal on the floor when he came back to remove the charcoal from the room. Also, the window in the room should've been closed since the weather was so cold, yet it was left open. The killer

Glossary remnant(s) (名) 殘留物 charcoal debris (名) 木炭碎 carbon monoxide (名) 一氧化碳 well versed (形) 熟悉的、了解的 scratch(es) (名) 抓痕 speculate(d) (動) 猜測、估計 chloroform-soaked (形) 浸滿哥羅芳的 pass(ed) out (片語動) 昏倒、失去知覺

must've opened the window to air out the carbon monoxide as a way to clear out any murder evidence."

"How could that **coroner** be so stupid and mix up the cause of death from carbon monoxide poisoning to the Black Death?" said Watson as he shook his head **disapprovingly**.

"**Preconception**," said Holmes. "The coroner knew about the three Black Death victims being spotted near the ship before they died. Also, the crime scene was not well lit so the reddened skin on Savage had a similar appearance to the blackened skin on a Black Death victim. That was probably how the coroner came to the wrong conclusion."

"That makes sense," said Watson. "By the way, what did you say to Bloom and the other two doctors when you went to look for them at the medical school? You must've said something really **provoking**, enough to make Bloom want to kill you by sending you the ivory box."

"All I did was telling them **firmly** that I knew Savage's death was connected to them. I also used some pretty **harsh** language to insult them and implied that my silence could be **bought off**. Anyone who wasn't the killer would only hate me for being rude and **nonsensical**, but the killer would definitely want to shut me up."

"Then you received that deadly box?" asked Watson.

"Yes. I gave the box to Gorilla and asked him to run some tests on it. Results showed that the Black Death bacteria were found all over the ends of the springs inside the box." A cunning smile appeared on Holmes's face before he continued, "So I decided to **outsmart** the killer at his own game. I pretended to be gravely ill then used your **worriment** to lure the killer here. I only realised the killer was Bloom when he walked into the room."

Glossary coroner (名) 驗屍官 disapprovingly (副) 不滿地 preconception (名) 先入為主、成見 provoking (形) 刺激性的、挑釁的 firmly (副) 肯定地 harsh (形) 苛刻的 bought off (片語動) 收買、買通 nonsensical (形) 荒謬的、無理取鬧的 outsmart (動) 智勝 worriment (名) 憂慮、擔心

"Very ingenious of you," said Watson with a bitter smile. "But what brought the three victims from the slum area to the cargo ship?"

"This kind of human experiments can't possibly be approved by the medical school. Conducting the drug trials at his own home would be too risky and he could get caught easily. It's likely that Bloom had **opted** for Savage's cargo ship because even if his experiment were to fail, the police would only suspect that the victims had contracted the disease from the ship and the real truth could stay sealed," analysed Holmes.

"But you figured it all out anyway."

Holmes let out a shrewd chuckle and said, "If Savage hadn't blackmailed Bloom, Bloom wouldn't have killed Savage and the police wouldn't have found out the three victims were spotted near the ship not long before their deaths. Moreover, the banknote written with the three professors' names would've never been discovered on Savage's body, making it impossible for me to **pinpoint** the professors as **viable** suspects and smoke out the real killer."

"That makes sense. But I still don't understand why Savage had written those three names on the banknote."

"The only man who knows the real answer to that question is Savage." Holmes took a pause before continuing, "But I think my ***deduction*** shouldn't be too far off from the truth."

"What's your deduction?"

"I found a medical publication in Savage's house with an article on the Black Death that contained interviews with the three professors. The names of the professors were underlined on the page. Savage probably saw those three names then jot them down on a banknote."

"What for?"

Glossary ingenious (形) 聰明的、巧妙的 opt(ed) (動) 選擇 pinpoint (動) 確定、準確找到 viable (形) 可能的 deduction (名) 推理、推論

"They were his potential buyers."

"Buyers?"

"In the article, the three professors all moaned about how not having the actual Black Death bacteria to conduct experiments had greatly **hindered** the progress of their research. The **bacterial cultures** that were stored in the medical school's laboratory were all destroyed a year ago under the order of the government."

Watson finally got the whole picture, "I understand now. That's why Savage collected the bacteria while he was in India. He wanted to sell them to the professors."

"Precisely," said Holmes. "It's likely that Bloom was the first man Savage had contacted. Perhaps Bloom was willing to pay such a handsome price for the bacteria that Savage probably had not bothered to contact Smith or Stewart. Then when the greedy Savage found out how Bloom's experiment had caused three deaths, Savage immediately used the information to blackmail Bloom. But Bloom was no **pushover** so he just decided to ***get rid of*** Savage once and for all."

"Here's something else that I still don't understand. Why didn't Bloom kill Savage with the bacteria but **resorted to** carbon monoxide poisoning instead? Wouldn't that risk **raising eyebrows**?" asked Watson.

"The reason is simple. It takes a few days for an infected victim to **succumb to** the Black Death after contracting the disease. Savage wouldn't just sit around quietly and wait for his death to come if he knew he was infected with the bacteria."

"That's true. Savage would probably go to the police or even seek revenge on Bloom."

"Exactly, which was why Bloom opted for a quicker way to kill Savage. Carbon monoxide poisoning is colourless, **odourless** and doesn't leave any wounds on the

Glossary hinder(ed) (動) 妨礙　bacterial culture(s) (名) 細菌培養　pushover (名) 善男信女、容易對付的人
get rid of (片語動) 除掉　resort(ed) to (片語動) 採取、採用　raising (raise) eyebrows (片語) 引人注目
succumb to (片語動) 死於　odourless (形) 無味的

body. Bloom probably asked Savage to come collect the money in a room on the ship then used this opportunity to kill Savage and make the death look like another Black Death victim who had just returned from India."

"It really was a perfect murder. Come to think of it, it's ironic that saving lives was Bloom's ultimate goal but he ended up killing four lives before he could even save one. Was it worth it?"

"Watson, you think this way because you're a kind man," said Holmes as his face took on a solemn expression. "From Bloom's cold-blooded actions, I can say for sure that his goal was not to save lives but to serve his own self-interest."

"His own self-interest?"

"Can't you see? If his experimental drug had been successful, not only would he gain worldwide fame overnight, he could also sell his drug formula at an obscenely steep price. Those buyers could be anyone from profiteering pharmaceutical companies to dangerously ambitious rogues like Dr. M. The formula could be used to produce a cure-all drug, but it could also be exploited to create chemical weapons."

Watson let out a sigh and said, "At first I thought the Black Death was the serial killer. Who would've thought that it was only a weapon used by the real serial killer?"

"Most serial killers are irrational and have no self-control, but Bloom had a clear mind and knew exactly what he was doing. He was a highly educated scholar, which made him all the more vicious and heinous compared to the average deranged serial killer. He truly is a monster, a monster with absolutely no regard for human life!"

Glossary perfect (形) 完美的 solemn (形) 莊嚴的、嚴肅的 self-interest (名) 個人利益、私利 obscenely (副) 離譜地 steep price (形+名) 過高的價格、不合理的價格 pharmaceutical (形) 製藥的 rogue(s) (名) 離羣及行動異常的人 irrational (形) 不講理的、失去理性的 vicious (形) 兇殘的、邪惡的 heinous (形) 令人髮指的 deranged (形) 精神錯亂的

"Good thing we're able to bring this monster to justice and stop him from doing more harm to the world." Watson took a pause then suddenly remembered something that he had been dying to ask, "By the way, do you remember what you had said about me when you were in your **delusional** state?"

"Why yes! I said you were a **quack** and a **lecher**."

"How could you say such horrible things? I thought we are friends!"

"Watson, you're so **small-minded**. Are you still upset over something so petty?" teased Holmes with a mocking chuckle. "I only said those words to make you think that I was critically ill. Did you think I was serious?"

"Oh, thank God!" Watson had never felt more relieved.

"However," said Holmes with a cunning smile, "there was a bit of truth in my words."

"What?" As Watson's face flushed red with anger, Holmes could not help but laugh until tears squeeze out from the corner of his eye.

The murders were successfully solved and the killer was arrested, but what about Fox? What happened to Fox at the end?

Fox was released from the hospital after a month. He never showed any symptoms so all the fuss was nothing but a big scare. He was actually more worried sick than physically sick since he was not allowed to visit his mother at her hospital for an entire month.

As soon as Fox stepped out of the **isolation ward**, he immediately headed out to see his mother. Surprisingly, Fox's mother looked

Glossary delusional (形) 神智不清的　quack (名) 冒牌醫生、庸醫　lecher (名) 好色之徒
small-minded (形) 小氣的、小心眼的、心胸狹窄的　isolation ward (名) 隔離病房

brighter and happier than the last time he saw her. She even said to him, "I had visitors everyday. I was not lonely at all."

"Really? Who came to see you?" Fox could not believe his ears.

"Someone named Sherlock, someone named Watson and someone else whose name I can't remember. Oh, I'm too old. I can't remember all their names. Oh yes! This **chap** was always **munching** on a banana. He was really funny and made me laugh all the time. What is his name…?" Bending her neck sideways, Fox's mother tried her best to recall the name but nothing came to her mind.

After listening to his mother, Fox turned around so his mother could not see his face as he **gritted his teeth** and **mumbled** in anger to himself, "Those three **weasels**! How dare they stick their noses in my business! How dare they do a better job looking after my mother than me!"

Glossary chap (名 / 口語) 男人、傢伙 munch(ing) (動) 不停地吃 grit(ted) one's teeth (習) 咬牙切齒 mumble(d) (動) 咕噥、喃喃地說 weasel(s) (名) 衰人、鼠輩

Fox's mother leaned over to Fox and asked, "Son, why are you crying? I'm fine. Your friends were very kind to me. There's no need to cry."

Only after hearing his mother's words did Fox realise warm tears had spilled out from his eyes. His tears suggested to him that he was feeling **moved** instead of angry. He had not expected Holmes, Watson and especially Gorilla, his ***hot-headed*** work partner, to come and visit his mother everyday and bring joy to his mother when he was not able to do so himself. He felt so blessed to have such good friends.

However, Fox was not used to warm, fuzzy feelings. Even though deep down he felt very grateful, Fox kept mumbling through his quivering lips as he sobbed and **snivelled**, "Boohoo... You three weasels! You three nosy weasels! I won't let you get away with this!"

Next time on **Sherlock Holmes-The Honeybee Murder** is coming up on the next issue!

Glossary moved (形) 感動的 hot-headed (形) 急躁的、鹵莽的 quivering (形) 顫抖的 snivel(led) (動) 哭哭啼啼

Samba VS Series

ARTIST: KEUNG CHI KIT CONCEPT: RIGHTMAN CREATIVE TEAM

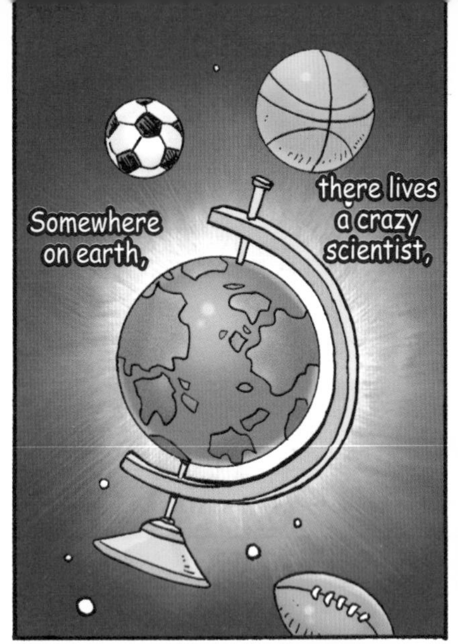

在地球某處，

有個瘋狂科學家，

在他的研究室裏進行
一個秘密實驗……

鏡子，鏡子!!
誰是世上最強的人!?

請告訴我吧!!

嘿~~

當然是你~世上最偉大的
科學家~蛇夫曼博士!!

哈哈……不敢當！

噢，鏡子，你太客氣了！哈哈哈!!

啪~

啊~我的腰……

唉~老了，從現在開始要注意姿勢……開始工作吧!!

早晨，主人。

酷歌

要找世上最強的人，當然是上網搜尋!!

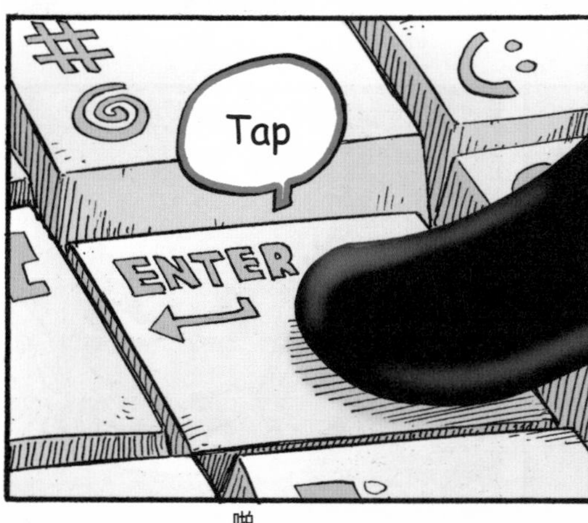

啪

嘟……嘟!!

搜尋完畢，你的搜尋結果是……

酷歌　　世上最強的人　　共找到101,734,567個結果　　吓!?全部都是同一個人嗎!?

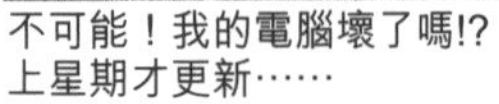

不可能！我的電腦壞了嗎!?
上星期才更新……

主人，我沒有
壞……

這孩子到底是誰!?
怎會這樣!?

他叫森巴。今年4歲。　　森巴!?　　好！我會捉他來研究，
看看他是否最強……

嗨　　砰—

我叫森巴

為何他會在這裏？

我是你製造的超級電腦，能預知你的行動……

Since my target is here, let's start the experiment right away!

Ahh

既然目標在此，立即開始實驗！

呀~

這個實驗很簡單，我會將世上最強生物帶來這裏和森巴比試，就能知道森巴是否世上最強！

屁　股

不要玩我的頭!!比試就快開始。

實驗代號~「森巴對世界」開始!!

實驗對象001到達!!

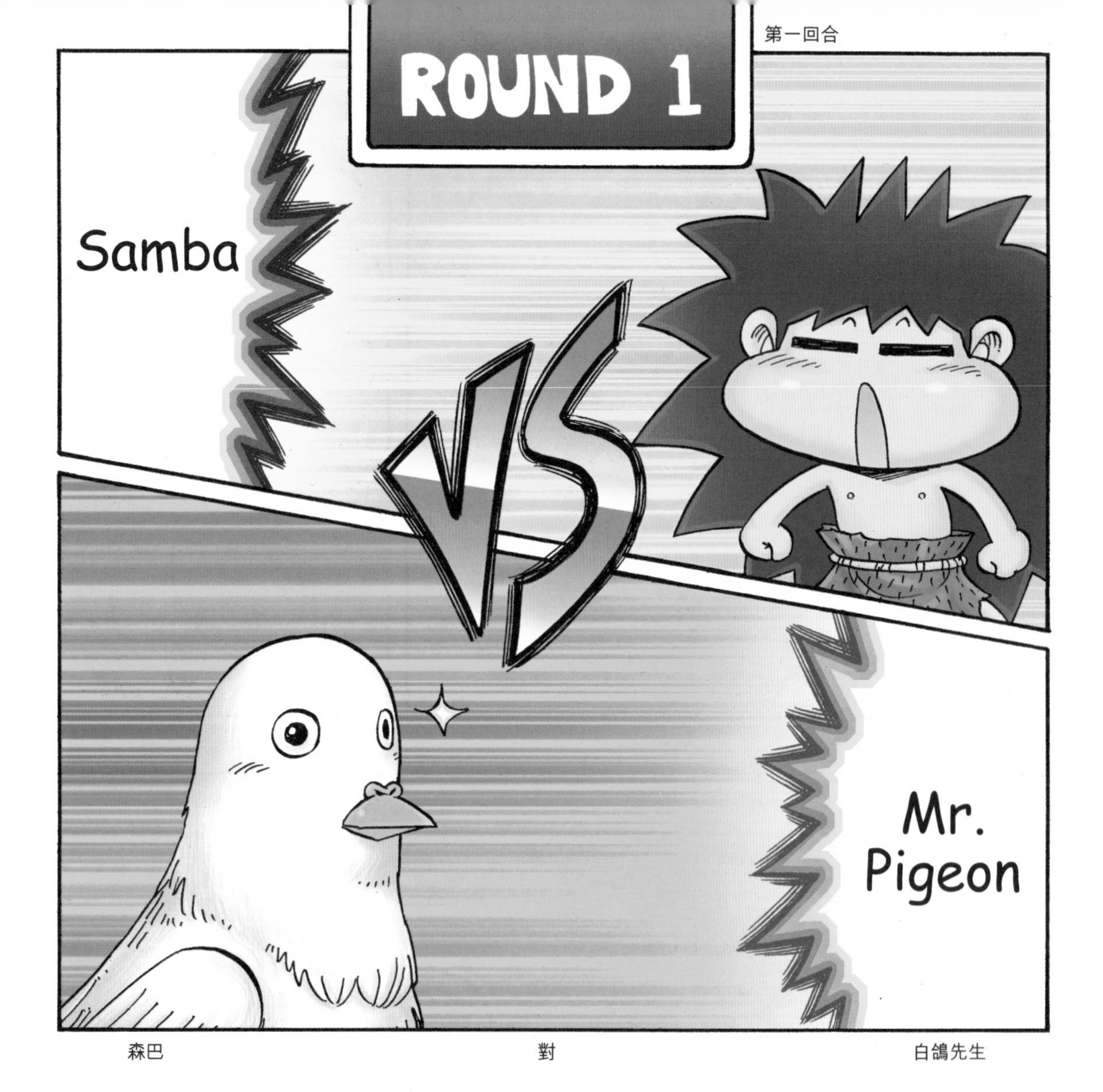

森巴　對　白鴿先生

嗨　白 鴿 先 生

呀　咕~咕~

嘎~ 啄啄

嘎~~ 咕~咕~

喂~~你們兩個要決鬥分勝負！
別這麼友好！

決 鬥 吧

嘿~~~~

森巴勝出!!

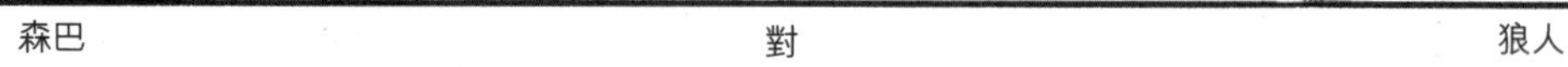

森巴 對 狼人

嗚~~

嘿 嘿

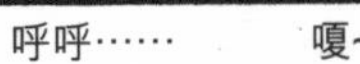

剪刀 石頭 森巴勝出!! 呵~~

森巴 對 復活島摩艾像

呀~~~ 放 馬 過 來

砰—

轟—

森巴勝出!!

ROUND 4
第四回合
Samba
VS
Sushi platter

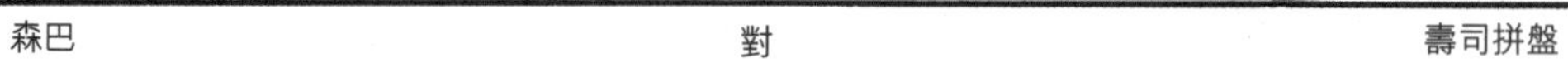
森巴
對
壽司拼盤

吼~

啪~~

森巴勝出!!

ROUND 5
第五回合
Samba
VS
Shadow

森巴
對
影子

嘿

呀~~~

踩扁你　　別走

嗄……　　我打不中

可惡　　呀~~~

嘿~~~　　哐一

森巴勝出!!

森巴 對 橡皮鴨

吣 吣 吣

哈~~ 咇 咇 咇 唔 呀

哇~~~

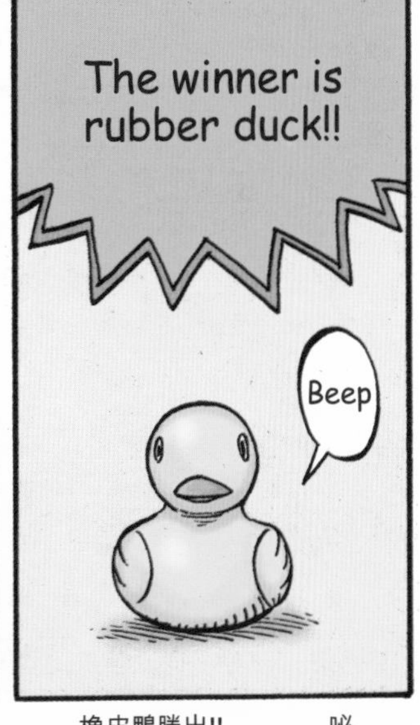

橡皮鴨勝出!! 咇

呀~~~~ 勝 敗 哈哈哈，還以為你是最強的， 但你竟然無法打敗橡皮鴨!!

最終，我，蛇夫曼博士，才是最強的!! 哎呀!! 砰—

哈~~~ 屁 股 最 弱 可惡!! 你會後悔的!! 讓你看看我的實力。 嘟 能量注射!!

肌肉增強劑！

吱—

獲勝者將成為世上最強的人!!

最終比試，森巴對蛇夫曼!!開始!!

看到我的肌肉，害怕嗎!?

認輸吧!!

Do

嘟

鐵拳!! 轟—

小子，這是消滅入侵者的緊急按鈕。不要亂按…… 拜 哈~~~~ 世 上 最 強 我只是一部普通電腦…… 我會回來的!! 完……

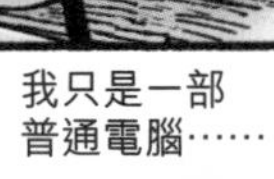

兒童的學習 NO.58

請貼上
$2.0郵票

香港柴灣祥利街9號
祥利工業大廈2樓A室
兒童的學習編輯部收

2020-12-15　▼請沿虛線向內摺。

請在空格內「✔」出你的選擇。

問卷

有關今期內容

Q1：你喜歡今期主題「如何煉造天才？」嗎？

01☐非常喜歡　02☐喜歡　03☐一般　04☐不喜歡　05☐非常不喜歡

Q2：你喜歡小說《大偵探福爾摩斯——M博士外傳》嗎？

06☐非常喜歡　07☐喜歡　08☐一般　09☐不喜歡　10☐非常不喜歡

Q3：你覺得SHERLOCK HOLMES的內容艱深嗎？

11☐很艱深　12☐頗深　13☐一般　14☐簡單　15☐非常簡單

Q4：你有跟着下列專欄做作品嗎？

16☐巧手工坊　17☐簡易小廚神　18☐沒有製作

請沿實線剪下

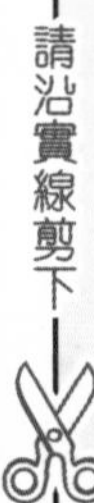

請沿實線剪下

讀者意見區

快樂大獎賞：

我選擇 (A-I)

只要填妥問卷寄回來，就可以參加抽獎了！

感謝您寶貴的意見。

請在此部分塗上膠水。

讀者資料

姓名：	男 女	年齡：	班級：
就讀學校：			
聯絡地址：			
電郵：		聯絡電話：	

你是否同意，本公司將你上述個人資料，只限用作傳送《兒童的學習》及本公司其他書刊資料給你？（請刪去不適用者）

同意/不同意　簽署：＿＿＿＿＿＿＿＿＿＿＿＿　日期：＿＿＿＿年＿＿月＿＿日

讀者意見收集站

A 學習專輯：如何煉造天才？
B 實戰寫作教室：厲河老師的實戰寫作教室
C 快樂大獎賞
D 大偵探福爾摩斯──M博士外傳 ⑮惡貫滿盈
E 巧手工坊：搖搖卡迎聖誕
F 簡易小廚神：派對小食瑞典肉丸
G 知識小遊戲
H 讀者信箱
I SHERLOCK HOLMES：The Dying Detective⑥
J SAMBA FAMILY：Samba VS Series

＊請以英文代號回答**Q5至Q7**

Q5. 你最喜愛的專欄：

第 1 位 19＿＿＿＿＿　第 2 位 20＿＿＿＿＿　第 3 位 21＿＿＿＿＿

Q6. 你最不感興趣的專欄： 22＿＿＿＿＿ 原因：23＿＿＿＿＿＿＿＿＿＿

Q7. 你最看不明白的專欄： 24＿＿＿＿＿ 不明白之處：25＿＿＿＿＿＿＿＿＿＿

Q8. 你覺得今期的內容豐富嗎？

26☐很豐富　27☐豐富　28☐一般　29☐不豐富

Q9. 你從何處獲得今期《兒童的學習》？

30☐訂閱　31☐書店　32☐報攤　33☐OK便利店
34☐7-Eleven　35☐親友贈閱　36☐其他：＿＿＿＿＿＿＿＿

Q10. 你喜歡看甚麼主題的故事呢？(可選多項)

37☐偵探　38☐推理　39☐科幻　40☐冒險　41☐寓言
42☐驚慄　43☐校園　44☐奇幻　45☐歷史　46☐武俠
47☐愛情　48☐不喜歡看故事　49☐其他：＿＿＿＿＿＿＿＿

Q11. 你還會購買下一期的《兒童的學習》嗎？

50☐會　51☐不會，原因＿＿＿＿＿＿＿＿＿＿＿＿

請在此部分塗上膠水。